Les Régimes politiques du monde contemporain

II

Les régimes politiques des États socialistes
et des États du tiers-monde

© Presses universitaires de Grenoble, 2003
BP 1549 – 38025 Grenoble cedex 1
pug@pug.fr / www.pug.fr
ISBN : 978-2-7061-0965-2

Paul Leroy

Les Régimes politiques du monde contemporain

II
Les régimes politiques des États socialistes
et des États du tiers-monde

PRESSES UNIVERSITAIRES DE GRENOBLE

La collection « Le droit en plus » est dirigée par Patrick Maistre du Chambon, professeur des facultés de droit, doyen honoraire de la faculté de droit de Grenoble, en liaison avec le département de télé-enseignement de la faculté de droit de Grenoble.

Dans la même collection

Bendjouya Georges, *Procédure civile*, 2001, épuisé

Brémond Christine, Montain-Domenach Jacqueline, *Droit des collectivités territoriales*, 2007, 3ᵉ édition

Chianéa Gérard, *Histoire des institutions publiques de la France*
  Tome I – *Du démembrement à la reconstitution de l'État (476-1492)*, 1994, épuisé
  Tome II – *Essor et déclin de l'État monarchique (1492-1789)*, 1995, épuisé
  Tome III – *L'État moderne en formation (1789-1870)*, 1996

Conte Philippe, Maistre du Chambon Patrick, *La Responsabilité civile délictuelle*, 2000, 3ᵉ édition

Conte Philippe, Petit Bruno, *Les incapacités*, 1995, 2ᵉ édition

Euzéby Alain, *Introduction à l'économie politique*
  Tome I – *Concepts et mécanismes*, 2000, 2ᵉ édition
  Tome II – *Politiques économiques*, 1998

Farge Michel, *Les Sûretés*, 2007

Gondouin Geneviève, Rouxel Sylvie, *Les institutions juridictionnelles*, 2006

Granet-Lambrechts Frédérique, Hilt Patrice, *Droit de la famille*, 2009, 3ᵉ édition

Leroy Paul, *Les Régimes politiques du monde contemporain*,
  Tome I – *Les régimes politiques des États libéraux*, 2001
  Tome II – *Les régimes politiques des États socialistes et des États du tiers-monde*, 2003
  Tome III – *Le régime politique et l'organisation administrative de la France*, 2001

Maistre du Chambon Patrick, *Droit des obligations. Régime général*, 2005

Mathieu Martial, Mathieu Patricia, *Histoire des institutions publiques de la France. Des origines franques à la Révolution*, 2008

Montanier Jean-Claude,
  – *Les régimes matrimoniaux*, 2006, 5e édition
  – *Le Contrat*, 2005, 4e édition

Montanier Jean-Claude, Samuel Geoffrey, *Le Contrat en droit anglais*, 1999

Petit Bruno
  – *Introduction générale au droit*, 2008, 7e édition
  – *Les personnes*, 2004, 3e édition

Radé Christophe, *La Responsabilité civile contractuelle – Les quasi-contrats*, 2001

Rousset Michel, Rousset Olivier, *Droit administratif*
  Tome I – *L'Action administrative*, 2004, 2e édition

Rousset Michel, *Droit administratif*
  Tome II – *Le Contentieux administratif*, 2004, 2e édition

Saintourens Bernard, *Droit des affaires*, 2002, 2e édition

Salvage Philippe, *Droit pénal général*, 2010, 7e édition

Simler Philippe, *Les Biens*, 2006, 3e édition

Souweine Carole, *Droit des entreprises en difficulté*, 2007, 2e édition

Tauran Thierry, *Droit de la Sécurité sociale*, 2000

Tercinet Josiane, *Relations internationales*
  Tome I – *La scène internationale contemporaine*, 2006
  Tome II – *Les principaux acteurs et leur encadrement juridique*, 2006

Vergès Étienne, *Procédure civile*, 2007

LES RÉGIMES POLITIQUES DES ÉTATS SOCIALISTES

Pour le marxisme, les droits de l'homme tels qu'ils sont conçus dans la société libérale sont purement formels. Quels sont les droits réels du chômeur sans logement d'une grande métropole occidentale ? Le marxisme ne croit qu'en les droits que la société, à chaque étape de son développement, peut effectivement reconnaître et a les moyens d'accorder. Les droits et libertés, dans cette conception, n'ont pas leur place en une Déclaration d'autant plus solennelle qu'elle ne s'impose pas dans la réalité mais, au contraire, dans les textes ordinaires du droit positif.

C'est ainsi que les droits et libertés, mais également les obligations qui en sont la contrepartie nécessaire, sont inclus dans le texte même des Constitutions. En U.R.S.S. la Constitution de 1977 y consacre 31 articles relatifs, dans l'ordre, aux droits économiques, sociaux et culturels (articles 40 à 46), aux libertés politiques (articles 47 à 51), aux droits personnels (articles 52 à 56), à la protection des droits (articles 57 à 58) et enfin aux obligations (articles 60 à 69) jugées indissociables des droits réels et libertés réelles accordés.

L'ordre de présentation indique bien l'ordre de priorité. L'énoncé circonstancié et minutieux des droits économiques, sociaux et culturels, lie ceux-ci à la réalité de la société au moment même où le texte est adopté. Les droits et libertés cessent d'être formels pour devenir concrets.

Une telle conception de l'homme et de ses libertés retentit sur la conception du droit lui-même. Le droit perd toute valeur transcendante et, logiquement, l'intérêt accordé à son respect diminue. Le « principe de légalité socialiste » se substitue au « principe de légalité ». Est légal ce qui est conforme aux intérêts du socialisme. Le citoyen ne peut se prévaloir d'une règle ancienne lorsque la réalité sociale en progrès commande d'en reconnaître une autre. Sans doute, sauf à institutionnaliser le désordre, ne permet-on pas à chacun de juger de la conformité d'une règle à la réalité, mais on ne permet pas non plus au citoyen d'invoquer la règle de droit contre le pouvoir.

En pratique, l'absence de rigueur engendre une « civilisation sans droit » (A. Zinoviev) marquée spécialement par l'inégalité devant la loi, le non-respect des formes juridiques, la suprématie des « intérêts du peuple » sur ceux de l'individu. Au nom de la libération de l'homme d'effarantes répressions de masse sont engagées qui coûtent, tous pays socialistes confondus, environ 100 millions de morts…

Jamais aucune évolution idéologique n'est intervenue. Les régimes socialistes ont toujours résisté à la contamination par les idées libérales. Lorsque certains d'entre eux, comme la Tchécoslovaquie en 1968, ont tenté la correction, l'U.R.S.S. s'y est opposée par la force.

Au plan de l'organisation du pouvoir, la préoccupation de garantie des libertés revêt une autre signification qu'en régime libéral. La garantie des libertés est attendue de l'efficacité du pouvoir à transformer la réalité économique et sociale. En conséquence, le système institutionnel est bâti sur le principe de concentration de l'autorité. L'organisation constitutionnelle, sans jamais déroger à ce principe, est fréquemment remaniée. La constitution cesse, pour sa part, d'être entourée d'un respect particulier. Elle est toujours appelée à être remplacée et, lorsqu'elle est en vigueur, à être remaniée sans exigences procédurales contraignantes. Ici encore, le principe est celui de l'adaptation aux changements de la société qui commande la nature des rapports entre l'État et les citoyens.

La doctrine socialiste, pendant plus de soixante-dix années, s'est appliquée, d'abord, en U.R.S.S. puis, après la Seconde Guerre mondiale, en un assez grand nombre d'États d'Europe et d'Asie. Ces États se sont donné un régime politique fortement caractérisé et original. Ainsi l'espoir de libération et de justice de centaines de millions d'hommes a-t-il trouvé sa concrétisation. Mais l'espoir a été progressivement déçu du fait d'une réalité divergente de l'idéal et, malgré une tentative de réforme trop tardive engagée par M. Gorbatchev à partir de 1985 en U.R.S.S., il s'est effondré à la fin des années 80. Même en Chine, dans un des rares pays qui y demeurent fidèles, le plus haut responsable, Deng Xiaoping, à la fin des années 80, passait pour déconseiller à ses visiteurs du tiers-monde de choisir la voie socialiste. Certains théoriciens soviétiques en venaient, de leur côté, à considérer que le socialisme n'a même jamais été établi…

Chapitre I

Les principes fondamentaux du système politique socialiste

La réalité politique des pays socialistes est marquée par deux données essentielles que sont l'existence d'un État et d'un parti. L'existence d'un État, en elle-même, n'est pas surprenante mais sa pérennité, au regard de l'enseignement du marxisme, suscite l'interrogation. Le parti est unique et constitue l'avant-garde du prolétariat pour la construction du socialisme et l'avènement du communisme. Cette responsabilité, même si la Constitution ignore le parti ou, comme en U.R.S.S. jusqu'en 1977, ne le mentionne qu'incidemment, justifie l'emprise qu'il exerce sur l'État. En vérité, le parti subjugue l'État comme, d'ailleurs, la société elle-même en tous ses secteurs, spécialement celui de l'économie. Le maître du pays est le secrétaire général du parti même si, comme en U.R.S.S. de Staline à Gorbatchev, il peut n'être titulaire d'aucun mandat dans l'organisation constitutionnelle de l'État. Le parti commande à l'État qui ne dispose d'aucune autonomie par rapport à lui et apparaît en conséquence comme une structure assez fictive. C'est le système de l'État-parti.

Section I
La conception socialiste de l'État

L'État est généralement défini de manière descriptive sans que le phénomène qu'il représente soit vraiment expliqué. Marx, à l'inverse, a cette ambition et entend révéler, malgré toutes les dissimulations dont l'État s'entoure, sa véritable nature. Cette pensée, en plus d'un siècle, a bénéficié de l'apport d'une réflexion continue et surtout d'une réflexion alimentée par la pratique de l'État socialiste.

A – La conception marxiste originaire

Pour Marx, les hommes entretiennent entre eux deux types de rapports qui engendrent deux sociétés. La société civile est faite de rapports privés où les hommes se rencontrent comme producteurs, consommateurs, individus. La société politique résulte, elle, des rapports publics où les hommes s'affrontent au pouvoir politique. Dans le cadre d'une économie capitaliste, la société civile est marquée par des contradictions qui trouvent leur origine dans le mode de production où les travailleurs sont privés d'une partie du produit de leur travail par le capitaliste détenteur des moyens de production. La question que Marx se pose, après bien d'autres d'ailleurs, est de savoir si la société politique peut ou non mettre un terme à ces contradictions de la société civile. Pour bien des auteurs, pour les libéraux, pour Hegel, la réponse est affirmative. L'État peut, en effet, concilier à un niveau supérieur où il situe son intervention, les intérêts particuliers inconciliables dans leur sphère. L'État, organisation rationnelle de la liberté, selon Hegel, et incarnation du bien commun, peut assurer le triomphe de l'intérêt général. Pour Marx toute conception de ce type est erronée. La société politique n'a pas d'autonomie par rapport à la société civile et, par conséquent, pas de prépondérance sur elle. À l'inverse, la société politique n'est que le reflet de la société civile. L'État est donc l'État de la classe dominante ; dans une société capitaliste, l'État est l'État de la bourgeoisie, appareil de contrainte au service de cette classe sociale dominante.

Comment sortir de cette fatalité ? Par la révolution. Dans le système capitaliste, la société civile tend à une division entre deux classes sociales : la bourgeoisie, détentrice de moyens de production toujours plus concentrés en toujours moins de titulaires, et le prolétariat qui progressivement devient la condition universelle. Le prolétariat comme, à un stade antérieur de la production, la bourgeoisie, doit faire lui aussi la révolution quand la contradiction apparaît entre le développement des forces productives et les rapports sociaux devenus anachroniques.

Cette révolution prolétarienne va différer en ses caractères des révolutions du passé. Elle n'est pas le fait d'une minorité mais de la quasi-unanimité dans la mesure où la condition humaine devient l'universalité du non-avoir et du non-être. Elle ne vise pas à remplacer un type de propriété par un autre mais à abolir toute propriété privée. La société qui survient étant une société où les antagonismes de classe disparaissent, « le pouvoir public perd son caractère politique » (*Manifeste du parti communiste*). L'État, au sens d'appareil de contrainte d'une classe sociale, disparaît faute de classe sociale qui puisse en faire son instrument.

Mais cette perspective de disparition de toute organisation oppressive, logiquement impliquée par la conception de l'État, en fait, ne peut être immédiate. Avec réalisme, Lénine, mais avant lui Marx et Engels, considèrent que la bourgeoisie ne se laissera pas déposséder sans réagir et que les prolétaires eux-mêmes resteront longtemps marqués par leur condition antérieure d'exploités avec les tares qui en découlent aux plans moral, intellectuel… En conséquence, un État reste un temps nécessaire. Le prolétariat devra se constituer en classe dominante et exercer une dictature révolutionnaire. Cette dictature du prolétariat ne sera naturellement que transitoire et elle disparaîtra avec sa victoire dans un monde à tous égards transformé.

B – LA DIVERSITÉ DES CONCEPTIONS SOCIALISTES

Le développement de la doctrine marxiste porte sur la conception de l'État « capitaliste » comme du nouvel État socialiste.

I – La conception de l'État en régime capitaliste

La conception de l'État dans la société capitaliste que Marx élabore a gardé ses partisans. Respectée dans sa rigueur, elle a néanmoins été affinée pour tenir compte de l'évolution du monde. Le marxiste italien A. Gramsci a montré comment l'État, plus encore qu'appareil de coercition, était instrument de persuasion. L'hégémonie bourgeoise demeure mais par la prévalence de son idéologie. Les forces de contrainte (armée, police,…) n'interviennent plus qu'en dernier ressort si les « appareils idéologiques d'État » (L. Althusser) n'ont pas réussi totalement dans leur entreprise d'établissement du consensus social. Mais d'autres conceptions, se présentant comme socialistes, s'écartent de la rigueur de la conception initiale.

1. Le socialisme occidental

Pour les socialistes occidentaux, l'État dans le cadre du capitalisme est un État « bourgeois » au service donc de la classe dominante. Mais cette réalité n'est pas irréductible. L'État « bourgeois » peut être investi, « retourné » grâce à l'action politique possible dans la démocratie libérale. La reconnaissance de droits politiques et sociaux, l'émergence d'organisations du monde ouvrier, partis et syndicats, permettent une réelle transformation passant par la victoire électorale dans le cadre du suffrage universel. L'État, animé par des forces politiques nouvelles anticapitalistes peut alors devenir la chose de tous et perdre sa nature d'État de classe.

Cette conception a même gagné certains partis communistes occidentaux. Le parti communiste italien, dès 1962, en son Xe Congrès, reconnaît que la lutte des masses, dans les conditions du moment, est « capable de réaliser, dans la légalité constitutionnelle, la transformation socialiste de l'Italie ». C'est évidemment indiquer que l'objectif poursuivi peut être atteint en faisant l'économie de la révolution. Le parti communiste français lui-même, pendant la période d'union de la gauche des années 1970, reconnaît que la lutte politique et sociale peut déboucher sur la transformation de l'État et préparer la transition au socialisme.

2. Le socialisme dans le tiers-monde

Lorsqu'ils accèdent à l'indépendance, dans la seconde moitié du XXe siècle, les États du tiers-monde reposent sur des sociétés qui, dans bien des cas, sont faites de communautés paysannes précapitalistes. En conséquence, le passage au socialisme, sauf à le reporter à une période très éloignée, doit être envisagé différemment de celui conçu pour les sociétés industrielles.

Avec la bénédiction doctrinale de Moscou, en faisant l'économie d'une révolution sociale prématurée, certains États du tiers-monde deviennent des « États d'orientation socialiste ». L'État traditionnel est donc subverti de l'intérieur grâce à l'action révolutionnaire de la seule force vraiment organisée qu'est l'armée, censée exprimer la volonté des « couches intermédiaires non prolétariennes ».

Cette évolution politique a parfois fait l'objet d'une réflexion théorique intéressante comme en Indonésie où le parti communiste, dans les années 60, considérait que le pouvoir d'État présentait deux aspects : un aspect antipopulaire et un aspect populaire et qu'il fallait consolider ce second aspect de manière à faire de l'État un instrument partagé entre classes opprimante et opprimée.

II – La conception de l'État en régime socialiste

Après des décennies d'application de la théorie, la conception de l'État a évolué. Qu'est devenu l'État pour les marxistes aux yeux de qui la théorie doit nécessairement prendre en compte la réalité ?

1. Le développement de la doctrine en U.R.S.S.

Plus le temps s'écoulait, plus la question se posait de savoir si la phase de dictature du prolétariat, conçue comme transitoire, était achevée avec la conséquence initialement envisagée de disparition de l'État... Dès 1961, à l'occasion de son XXIIᵉ Congrès, le parti communiste reconnaît que « la dictature du prolétariat ayant accompli son rôle historique n'est plus nécessaire en U.R.S.S. » mais affirme néanmoins que « l'État subsistera jusqu'à la victoire totale du communisme ». Échappant à l'alternative initialement posée, la doctrine s'enrichit par la reconnaissance d'une étape nouvelle dite de « l'État de tout le peuple ». Cet « État » apparaît lorsque les paysans et les intellectuels cessent de s'opposer aux ouvriers, que l'influence de l'ancienne bourgeoisie a disparu et qu'en conséquence une mutation de la conscience sociale se produit. La Constitution du 7 octobre 1977 enregistre le changement lorsqu'elle affirme dans son article 1 : « L'U.R.S.S. est un État socialiste du peuple entier qui exprime la volonté et les intérêts des ouvriers, des paysans et des intellectuels, des travailleurs de toutes les nations et ethnies du pays. »

L'évolution de la conception de l'État qui, en principe, devait entraîner une diminution de son action autoritaire au profit de l'action démocratique des travailleurs dans le cadre de leurs organisations a en fait suscité peu de conséquences. En revanche, elle a été fortement contestée au plan théorique dans la mesure où elle dissocie les notions d'État et de classe sociale. Pour les puristes, au nombre desquels les communistes chinois, tant que l'État existe, il ne peut être l'État du peuple entier et ne peut qu'être l'État d'une classe ; à l'inverse lorsque les classes sociales disparaissent l'État cesse d'exister.

2. Le développement de la doctrine en Chine

Le parti communiste chinois refuse de suivre son homologue soviétique dans la conception nouvelle de l'État. La Chine, dans ses constitutions de 1975 et 1978, s'affirme « État socialiste de dictature du prolétariat ». Dans sa constitution de 1982, elle se présente encore comme « État de dictature démocratique populaire » qui, « dirigée par la classe ouvrière et basée sur l'alliance des ouvriers et des paysans (…) est (…) par essence une dictature du prolétariat ». Comment trente ans après la Révolution, justifier le maintien de cette dictature du prolétariat ? Dans la ligne de la pensée de Mao Zedong si, lorsque tous les moyens de production sont socialisés, la bourgeoisie, matériellement, a disparu il n'en est pas de même au plan idéologique. Les idées bourgeoises restent en germe et ne demandent qu'à s'épanouir. La restauration du capitalisme est toujours d'autant plus à craindre que ceux les plus exposés à ce péril idéologique sont les intellectuels, les cadres, les dirigeants même membres du parti communiste. La révolution doit donc se poursuivre à un autre plan et devenir « révolution culturelle ». Ainsi la dictature du prolétariat doit-elle être maintenue spécialement au moment où « des forces hostiles internationales tentent de subvertir le système socialiste ». En 1997, le parti communiste réaffirme encore qu'il ne peut être question « d'affaiblir ou d'abandonner la dictature démocratique populaire ». Bien éloigné est le temps où l'État, « cette plaie que le capitalisme a légué au socialisme », pourra disparaître…

Section II
Le rôle dirigeant du parti communiste

L'existence d'un parti communiste, constitué de révolution-naires, de préférence professionnels, est considérée comme nécessaire à la révolution. Sans doute celle-ci est-elle due à l'action innovatrice des masses dans le contexte d'une société en évolution mais le succès ne peut être obtenu que si la lutte est menée de manière organisée. La classe ouvrière doit avoir à sa tête un parti qui la guide sur les bases scientifiques du marxisme.

Quand la révolution est réalisée, en Union soviétique et ailleurs, le parti communiste n'a pas achevé sa tâche. Bien au contraire, son rôle est considéré comme encore plus néces-saire pour assurer l'avènement du communisme. L'article 6 de la Constitution soviétique de 1977 sort de la réserve que s'étaient imposées les Constitutions précédentes à l'égard du parti et magnifie son rôle. « Le parti communiste est la force qui dirige et oriente la société soviétique, il est le noyau de son système politique, des organisations d'État et des organi-sations sociales. Armée de la doctrine marxiste-léniniste, le parti communiste définit la perspective générale du dévelop-pement de la société, les orientations de politique intérieure et extérieure, dirige la grande œuvre créatrice du peuple soviétique, confère un caractère organisé et scientifiquement fondé à sa lutte pour la victoire du communisme. » Plus l'ex-périence socialiste dure, plus la dépendance de l'État au parti est reconnue. M. Gorbatchev, au XXVIIᵉ Congrès du parti en 1986, affirme encore, de manière très orthodoxe, que « le parti communiste est la force motrice et le principal garant du développement de l'autoadministration socialiste ». C'est ce qui sera encore exposé, mais cette fois pour être condamné, dans un décret du président de la Russie en novembre 1991 qui affirme que les structures dirigeantes du parti commu-niste « en fait avaient absorbé l'État et... en avaient disposé comme d'un instrument propre » pour exercer leur dictature.

A – L'organisation du parti

Le parti communiste est, au plan idéologique, un parti assuré de sa cohésion à raison de sa référence au marxisme-léninisme. Cette cohésion, le parti communiste veut la retrouver au plan de l'action politique et est organisé pour, au-delà de ses oppositions internes, qu'une ligne politique soit définie, admise et appliquée par tous ses membres.

I – La structure du parti

Les organisations de base du parti, les cellules, se situent sur le lieu du travail. Les communistes se retrouvent au plan de l'entreprise industrielle, agricole, à celui de l'administration... Ils peuvent le faire également, subsidiairement, en considération de la résidence. Ces organisations fonctionnent dans le cadre d'une structure qui épouse celle de l'État : République fédérée, région, district, arrondissement, commune.

Quant à l'organisation centrale du parti, elle respecte un schéma assez simple. L'organe détenant la prééminence est le congrès qui rassemble, selon une périodicité variable (cinq ans pour l'U.R.S.S.), plusieurs milliers de délégués représentant parfois plusieurs millions de membres du parti. À son XXVIIIe Congrès, le parti communiste de l'U.R.S.S., en 1990, réunit 4 683 délégués représentant 18 732 000 adhérents. Selon les statuts, le Congrès établit le programme du parti et, après avoir jugé de l'application par le parti de la politique précédemment définie, adopte les grandes orientations valables pour les années à venir.

Dans l'intervalle des réunions du Congrès, le Comité central est censé diriger le parti. Cet organe qui comprend plusieurs centaines de personnes (deux, trois ou quatre centaines de titulaires et 100 ou 200 suppléants), ne tient, en fait, que de rares et brèves réunions (en U.R.S.S., une ou deux réunions de trois ou quatre jours par an). En ces conditions, le Comité central n'est pas habituellement l'organe dirigeant mais il peut, cependant, le devenir s'il doit trancher entre tendances qui s'opposent et nommer ou révoquer les plus hauts responsables du parti.

Les organes essentiels sont deux instances beaucoup plus restreintes et à l'activité permanente ou quasi permanente. Le Comité central possède un secrétariat dont la mission est de veiller à l'application des décisions du parti. Ce secrétariat, composé d'environ 10 à 20 membres, est dirigé par le secrétaire général qui est reconnu comme le chef du parti. Organe d'action, le secrétariat du Comité central dispose de services importants composés d'agents de qualité qui lui permettent de suivre l'activité des organes de l'État. Par ailleurs, le parti est doté d'un bureau politique comprenant entre 10 et 30 membres qui dirigent le parti dans l'intervalle des réunions du Comité central. Il est essentiel de relever que certains dirigeants siègent à la fois au secrétariat et au bureau politique. Cette double appartenance leur confère la plus haute autorité. Moins d'une dizaine d'hommes exercent ainsi l'autorité suprême, généralement sans publicité, mais parfois officiellement, comme à la mort de L. Brejnev en 1982, où le « noyau dirigeant » propose le nom du successeur au Comité central.

II – Le fonctionnement du parti

Les partis communistes respectent dans leur fonctionnement le principe du centralisme démocratique qui est inspiré par le souci d'assurer démocratie et efficacité. En pratique, la seconde exigence l'emportant sur la première, le parti se caractérise par son monolithisme.

Le centralisme démocratique est marqué par la volonté de faire désigner les membres de toutes les instances par la voie de l'élection comme par celle de faire adopter les décisions aux différents niveaux par des votes concluant de libres débats. Mais ces décisions, une fois prises, sont obligatoires pour tous, minoritaires comme majoritaires. Surtout, aucune minorité apparaissant à un moment donné ne peut s'organiser, chercher à se développer, se constituer en tendance ayant sa spécificité. Comme dans le Contrat Social de Rousseau, le minoritaire a tort et doit, sans réticence, se rallier à la majorité. De plus, toute décision prise à un niveau donné s'impose sans discussion aux niveaux inférieurs et, à l'occasion des élections, les propositions du niveau supérieur constituent évidemment une lourde contrainte. Très concrètement, ce principe, interdisant tout fractionnisme, toute organisation d'une opinion minoritaire, tend à faire apparaître l'unanimité au sein de l'organisation. Le fait que les élections fréquemment se déroulent au scrutin public, voire par acclamations, engendre évidemment l'autorité unique de la direction du parti.

Le parti communiste, par son principe de fonctionnement, est voué à l'unité. Officiellement, les organes dirigeants étant collégiaux la direction est, tout au moins en U.R.S.S. depuis la mort de Staline, une « direction collégiale » au sein de laquelle la lutte permanente pour obtenir la suprématie contraint aux arrangements et compromis. Mais la direction collégiale est souvent le paravent à l'autorité unique du secrétaire général du parti, qui, après plusieurs années de fonction, au cours desquelles il doit encore compter avec ses collègues du secrétariat du parti et du bureau politique, parvient à assurer sa suprématie. Parfois même, il bénéficie d'un « culte de la personnalité » et d'une adulation comparable à celle réservée aux divinités. En U.R.S.S., Staline est vénéré comme « Père des peuples », en Chine, Mao Zedong comme « Grand Timonier », en Roumanie, N. Ceausescu comme « Danube de la pensée » constituant avec son épouse « le couple prodigieux », en Corée du Nord, Kim Il Sung, comme « Père du peuple » résolvant les questions « que pendant des siècles les philosophes s'étaient vainement posées »… Naturellement, comme tout pouvoir absolu, celui-ci tend à sa transmission héréditaire. En Roumanie, le deuxième fils Ceausescu, Niku, membre comme ses père et mère du bureau politique paraissait en situation de leur succéder. En Corée du Nord, Kim Jong Il, fils du président Kim Il Sung a été élu vice-président de la République et présenté comme le « glorieux centre du Parti » et comme l'« Étoile polaire » qui indique la voie vers laquelle progresse l'humanité. Après la mort de son père il devient, à son tour, secrétaire général du parti et maître officiel du pays. Avec cette dévolution du pouvoir la dégénérescence du système est accomplie.

B – Le rôle du parti

Que le rôle du parti soit déterminant est attesté par le fait que le secrétaire général du parti peut ne détenir aucune responsabilité dans l'État sans que lui soit contesté le rang de numéro un dans son pays. En fait, le parti oriente l'évolution de la société mais ne se borne pas à la guider. Il se préoccupe également de la diriger très concrètement.

I – Le parti, guide de la société

Se référant au marxisme-léninisme, le parti a un projet de développement de la société vers le communisme qui s'exprime concrètement dans son programme. En U.R.S.S., le dernier programme publié à la fin du XXVIIe Congrès, en 1986, fixe ainsi comme objectif le perfectionnement du socialisme et le passage progressif au communisme (le précédent programme vieux de plus de vingt ans promettait l'avènement du communisme pour 1980…). Par son programme, le parti montre la voie mais il ne se limite pas à cela. Les objectifs ne sont pas seuls fixés. Les décisions qui doivent en résulter sont inspirées précisément par le parti. L'appareil d'État est largement affecté à l'enregistrement des directives du parti et à l'application de ses décisions. Il est évidemment caractéristique que les départements du secrétariat du Comité central aient chacun un secteur d'activité sous leur responsabilité et ensemble couvrent le champ d'intervention de l'État. La direction du parti est donc précise et stricte à l'égard de l'État mais, normalement, le parti veille à ne pas se substituer à lui.

II – Le parti, agent de l'évolution de la société

Au-delà de son action de direction, le parti doit accomplir des missions concrètes variées rendues nécessaires par l'immensité de la tâche de construction d'une société communiste.

Le parti assure, en premier lieu, un rôle pédagogique et de formation. Même si le communisme repose sur une base matérielle, il ne peut apparaître sans socle moral et culturel approprié. Le parti doit donc combattre « l'esprit bourgeois » toujours renaissant et développer la conscience sociale nécessaire à l'épanouissement de la société. La formation de l'homme nouveau doit être assurée dans et par le parti qui doit promouvoir ce que la constitution chinoise de 1982 appelle « la civilisation spirituelle socialiste ».

Le parti, en second lieu, veille à la formation de cadres. Ceux-ci sont nécessaires à lui-même, mais également à l'État dont tous les postes sont occupés du haut en bas de la hiérarchie par des communistes. Il en est de même pour les organisations sociales qui prolongent l'action du parti auprès des masses afin de les mobiliser pour réaliser la démocratie socialiste.

Le parti, en troisième lieu, tient, en de nombreux États, un rôle unificateur. Lorsque la société est multinationale, le parti a pour responsabilité d'assurer la cohésion d'un ensemble disparate. Cela est accompli par l'intermédiaire de cadres, non choisis sur critère national, qui, prudemment mais fermement, doivent agir dans la perspective d'une fusion des nations (programme du parti de 1986 en U.R.S.S.).

Bien d'autres missions encore, à commencer par celle de contrôle, pourraient être évoquées à raison de la compétence universelle du parti.

Chapitre II

Le régime politique socialiste

Par fidélité à la doctrine marxiste, le régime politique socialiste ne peut que s'affirmer démocratique. Selon le préambule de la Constitution de 1977, l'U.R.S.S. est « une société de démocratie authentique dont le système politique assure une gestion efficace de toutes les affaires sociales, une participation toujours plus active des travailleurs à la vie de l'État… »

Reste à apprécier « l'authencité » de cette démocratie dans le régime ayant connu la plus grande longévité, mais aujourd'hui disparu, celui de l'U.R.S.S., et dans les régimes qui subsistent avec, évidemment, en premier lieu, celui de la Chine.

Section I
Le régime politique de l'U.R.S.S.

L'U.R.S.S. est le premier État socialiste à apparaître et fonde un régime politique nouveau. Lorsque, après la Seconde Guerre mondiale d'autres États, en Europe centrale et orientale notamment, sous la coupe de l'U.R.S.S., seront convertis au socialisme le premier régime établi servira de modèle et, hors aspects secondaires, sera largement repris. Le régime politique de l'U.R.S.S. rend ainsi largement compte de la réalité socialiste pendant la seconde moitié du siècle.

A – LES RAPPORTS ENTRE GOUVERNANTS ET GOUVERNÉS

Le fait même que, dans les pays socialistes, l'État subsiste, implique une différenciation résultant de l'exercice du pouvoir politique. Un personnel spécialisé de gouvernants demeure qui se distingue des gouvernés. Mais, en régime socialiste, cette différenciation n'aurait pas les mêmes caractères qu'en démocratie libérale.

Dans les démocraties libérales, la différenciation entre gouvernants et gouvernés a, selon les marxistes, un caractère radical dans la mesure où elle reflète la division de la structure sociale entre exploiteurs et exploités. Les fonctions gouvernantes sont le monopole de la classe dirigeante. Les gouvernés censés détenir la souveraineté n'en sont que les titulaires fictifs. En revanche, en régime socialiste la différenciation de fait n'interdit pas l'identification entre gouvernants et gouvernés dans la mesure où la société a cessé d'être divisée en classes sociales. Dès lors, les gouvernants n'ont plus les intérêts d'une classe dominante à faire prévaloir mais ceux « du peuple entier ». Au-delà de l'apparence gouvernants et gouvernés ne sont plus en opposition irréductible et, dès lors, les techniques par lesquelles les gouvernés s'expriment, par exemple les élections, acquièrent une valeur réelle et cessent d'être purement formelles.

I – L'exercice du pouvoir par le peuple

L'État socialiste prétend réaliser la démocratie. « Tout le pouvoir... appartient au peuple » (Constitution de l'U.R.S.S. 1977, article 2). Comment le peuple exerce-t-il son pouvoir ? Deux modalités sont retenues : la désignation de représentants et la participation sous des formes variées à l'exercice du pouvoir politique.

1. La désignation de représentants

Le régime socialiste est un régime représentatif. Le pouvoir qui appartient au peuple est en fait exercé par des conseils qui, aux différents niveaux de l'État, ont leurs membres élus. Mais la caractéristique de ces élections tient au fait que très généralement un seul candidat sollicite les voix. Le système de la candidature unique n'est, pour autant, pas considéré comme contraire aux exigences démocratiques dans la mesure où le choix du candidat lui-même fait l'objet de discussions. La candidature unique exprime la décision du parti mais celle-ci tient compte des avis qui se sont exprimés dans le cadre des organisations sociales : syndicats, collectifs de travailleurs, unités militaires... Dans le contexte d'élections, ainsi non disputées, la préparation de la consultation pourrait être morne ; aussi le parti, par ses membres, est-il chargé de mobiliser l'intérêt des citoyens par des interventions multiples. Le résultat de cet effort paraît être atteint lorsque très régulièrement la participation frôle l'unanimité des citoyens et que le vote favorable aux candidats uniques n'est pas loin d'être égal à la participation. Cette pratique, considérée souvent comme dérisoire dans les démocraties libérales, est, à l'inverse, présentée comme « la démonstration de la cohésion de la société ».

2. La participation à l'exercice du pouvoir politique

Même si les conditions sont idéales pour son accomplissement, la démocratie représentative est, à elle seule, insuffisante. L'État socialiste, aussi bien, retient de multiples autres formes d'intervention des citoyens.

a) La démocratie semi-directe

Le régime socialiste retient une démocratie semi-directe édulcorée sous la forme de discussions plutôt que sous celle de votations populaires.

Le référendum n'est que rarement prévu par les constitutions des États socialistes ou pour des hypothèses théoriques (Constitution de l'U.R.S.S., 1977, article 115 en cas de divergences entre les deux chambres du Soviet suprême qui votent toujours tous les textes à l'unanimité…) et encore plus rarement utilisé (adoption de la Constitution de 1968 en République démocratique allemande). Ce n'est que dans les dernières années de leur existence que le référendum a parfois été utilisé par les États socialistes. En Roumanie, en novembre 1986, un référendum porte sur la réduction des dépenses militaires dont le montant au demeurant est inconnu et qui est adoptée d'enthousiasme par toute la population âgée de plus de 14 ans (224 abstentions seulement pour tout le pays)… En Pologne, en novembre 1987, un référendum sur la réforme économique et politique est organisé et connaît, à la surprise générale, un échec dans la mesure où la majorité nécessaire à l'acceptation se calcule sur le nombre des inscrits et non des électeurs. Dans les deux cas, le référendum n'a été possible qu'après révision de la Constitution décidant de son institution. En U.R.S.S., une loi du 27 décembre 1990 institue tardivement le référendum et le « maintien de l'U.R.S.S. » est l'objet, le 17 mars 1991, d'une consultation finalement sans portée.

Si le peuple n'est pas appelé à décider lui-même il est, en revanche, sollicité de s'exprimer sur les réformes qui sont envisagées. En U.R.S.S., les lois importantes sont soumises à une discussion organisée dans tout le pays. Ainsi une réforme économique en 1954 mobilise sur les lieux de travail 40 millions de personnes en plus de 500 000 réunions. En 1977, le projet de constitution est débattu par 140 millions de personnes qui formulent 400 000 propositions d'amendement. Mais la discussion peut également concerner les problèmes d'intérêt général, les comptes rendus d'activité…

b) La participation à l'activité des organisations sociales

Les organisations sociales sont multiples : syndicats, mouvements de jeunesse, coopératives, collectifs de travailleurs, milices, comités de quartier... Leur rôle est exalté et présenté comme offrant aux citoyens des possibilités de peser sur l'évolution sociale, culturelle, sanitaire... Surtout, les collectifs de travailleurs dans les entreprises, selon des modalités variables selon les pays, participent à la gestion de l'entreprise et permettent l'avènement d'une démocratie économique à côté de la démocratie politique. Cette participation protéiforme s'accorde parfaitement avec l'objectif du développement socialiste qui doit déboucher sur l'autoadministration communiste. Le régime socialiste, préoccupé de préparer cet avenir, se donne comme orientation fondamentale « la participation toujours plus large des citoyens à la gestion des affaires de l'État et de la société... » (Constitution de l'U.R.S.S., 1977, article 9). Dans cette perspective, des transferts de compétences de l'État vers les organisations sociales ont parfois été réalisés mais de manière très limitée.

II – L'appréciation de l'influence du peuple

À l'affirmation officielle d'une démocratie réelle toujours en progrès et débouchant sur la libération de l'homme s'oppose l'affirmation courante que le régime socialiste est sans contenu démocratique aucun. Cette contestation de la démocratie en régime socialiste s'articule sur deux constatations selon lesquelles le parti communiste est une organisation dictatoriale toute-puissante et l'État, toujours, un État de classe.

1. La toute-puissance du parti communiste

La suprématie absolue du parti s'exprime par le contrôle qu'il exerce sur l'État et la société et par l'interdit qu'il porte sur ce qu'il ne peut contrôler.

a) Le contrôle par le parti de l'État et de la société

Le parti maîtrise totalement le fonctionnement de l'État dans la mesure où il contrôle le recrutement de ses organes. Or, tout dans la réalité socialiste prouve que le parti impose ses vues dans le choix des personnes désignées comme candidates. Toutes les discussions qui précèdent ces choix ne peuvent abuser, le parti a le dernier mot. Quant aux organisations sociales présentées comme permettant au peuple de s'exprimer, elles sont en réalité sous la coupe du parti et privées de toute autonomie. Quelle liberté pour les syndicats qui, à leur congrès, en 1982, constatent que leurs dirigeants sont révoqués et remplacés sur décision du secrétaire général du parti ? La participation des citoyens qui passe par les organisations sociales est contrôlée de manière à permettre l'expression de leurs aspirations et oppositions et éviter le recours à des moyens de contrainte.

b) La condamnation de ce qui échappe au parti

Dans la société socialiste, la dénonciation par l'individu des défauts du système est admise, parfois même encouragée, au niveau de la manifestation de mécontentement. Mais toute réunion d'esprits critiques est proscrite. L'individu peut exprimer un sentiment, non se regrouper avec d'autres pour contester, même en l'un de ses aspects mineurs, le système. La société socialiste est tendue vers l'unité. L'exprime le fait que, avec invraisemblance, les résultats électoraux annoncent le vote favorable d'une quasi-unanimité de citoyens. Toute minorité, aussi faible soit-elle, « représente un défi intolérable » (Linz) car toujours susceptible de croître et de faire éclater l'accord général. Dans cette perspective unificatrice, rien de la vie de l'homme ne peut être laissé hors du contrôle du parti. En 1964, le futur Prix Nobel de littérature, J. Brodsky, est condamné à cinq ans de déportation, non pour écrire des poèmes contestataires, mais simplement parce qu'il refuse de se plier au statut prévu pour les écrivains. L'autonomie n'est pas tolérée. Le refus d'accepter la norme n'est pas seulement considéré comme une infraction mais comme relevant de la pathologie mentale et traité, comme il est logique, en hôpital psychiatrique. Mais un tel contrôle social par le parti a son revers. Le parti cesse-t-il de fonctionner correctement que tout le système est menacé d'effondrement. Une seule force est alors susceptible de le suppléer : l'armée, comme on l'a constaté en Pologne, en 1981, avec la proclamation de l'état de guerre.

2. La société socialiste reste une société de classe

Lorsqu'après des décennies d'existence, la société socialiste présente des vices graves, la tentation est, de manière non marxiste, d'imputer ces tares à la volonté de dirigeants incapables ou dangereux. On se place alors dans la perspective d'une déviation du système. C'est « le culte de la personnalité » qu'institue Staline en sa faveur qui expliquerait les crimes commis. C'est l'âge des dirigeants, dans les années 70 qui serait à l'origine de « la période de stagnation » dont le pays a souffert gravement. C'est l'accaparement de la dictature du prolétariat par une couche de bureaucrates qui entraînerait la déformation bureaucratique dénoncée par Trotsky. Mais l'analyse marxiste est retournée contre la société socialiste par d'autres auteurs qui voient dans l'infrastructure de la société l'explication de sa déplorable réalité.

Pour divers auteurs comme M. Djilas, C. Bettelheim, M. Voslensky, la société socialiste est marquée par la pérennité des classes sociales et la suprématie d'une classe dominante. Sans doute les classes sociales, définies comme chez Marx par le rapport qui lie des groupes d'hommes aux moyens de production, n'existent plus dans la mesure où les moyens de production appartiennent à la collectivité. Mais tout se passe comme si un groupe était détenteur des moyens de production puisqu'il dispose des avantages que cette propriété procure. Dans la société socialiste, un groupe social, celui des dirigeants de tous ordres, dispose de la prérogative d'affecter, comme il l'entend, les moyens de production à telle ou telle activité économique et de disposer librement, et naturellement à son avantage, du produit de cette activité économique. Ce groupe social, la « nomenklatura », ne détient pas juridiquement la propriété des moyens de production mais tout se passe comme s'il la détenait. Ainsi, la société mérite-t-elle d'être encore considérée comme société de classe donc d'exploitation des uns par les autres. La libération de l'homme est en conséquence conditionnée par une révolution qui reste à accomplir. En attendant, pas plus qu'en régime libéral, la démocratie n'est réelle.

B – LES RAPPORTS ENTRE GOUVERNANTS

Le régime politique de l'État socialiste bénéficie de la disparition de la méfiance libérale à l'égard du pouvoir politique. Loin d'être craint pour son action destructrice des droits que l'homme posséderait naturellement, le pouvoir politique doit agir pour assurer la libération de l'homme. Comme par ailleurs le prolétariat, lorsqu'il triomphe, est un groupe homogène, sans divisions même secondaires, son pouvoir peut s'exercer sans entrave. L'État socialiste dispose, en conséquence, d'une organisation constitutionnelle qui repose sur le principe d'unité du pouvoir d'État. Ce principe signifie que le peuple délègue son pouvoir à un organe dont les membres sont élus et auquel tous les autres organes de l'État sont assujettis. Le pouvoir du peuple souverain fait ainsi l'objet d'une cascade de délégations à l'occasion desquelles l'organe délégataire est étroitement soumis à l'organe délégant. Le principe d'unité du pouvoir d'État entraîne une organisation constitutionnelle où aucun organe de l'État n'a de volonté autonome distincte de celle de l'organe désigné par le peuple pour le représenter.

I – L'organisation constitutionnelle de l'État socialiste

Selon l'article 2 de la Constitution de 1977, « Tout le pouvoir en U.R.S.S. appartient au peuple. Le peuple exerce le pouvoir d'État par l'intermédiaire des Soviets des députés du peuple. Tous les autres organes d'État sont soumis au contrôle des soviets des députés du peuple et dépendent d'eux. » À tous les niveaux, local, républicain, fédéral, le même principe d'organisation est repris.

Le Soviet suprême de l'U.R.S.S. est ainsi « l'organe supérieur du pouvoir d'État » pour la fédération (article 108). Cet organe composé de deux assemblées représentant l'une la population, le Soviet de l'union, l'autre les républiques, le Soviet des nationalités, dans l'égalité pour le nombre de leurs membres mais surtout par leurs pouvoirs, n'est pas vraiment, malgré les apparences, un « parlement » dans la mesure où il domine totalement les autres instances étatiques. Le Soviet suprême est « compétent pour statuer sur toutes les questions qui… sont de la compétence de l'U.R.S.S. ». Il élit, en son sein, un présidium de 38 membres, son organe permanent, qui dépend de lui pour toute son activité et qui exerce, dans l'intervalle de ses deux brèves sessions annuelles, ses fonctions d'organe supérieur du pouvoir d'État (article 119). Certaines de ses compétences (article 121), ratification des traités, droit de grâce, accréditation de représentants auprès des autres États et réception des lettres de créance de leurs ambassadeurs,… font de lui un « chef d'État collégial » de l'U.R.S.S. mais dépourvu d'autonomie par rapport au Soviet suprême.

Une fonction réellement exécutive est confiée au conseil des ministres de l'U.R.S.S. (articles 128 et suivants). Cet organe qualifié « d'organe exécutif et administratif supérieur du pouvoir d'État » est désigné, lui aussi, par le Soviet suprême, responsable devant lui et son Présidium devant qui il rend régulièrement compte de son activité. Il est compétent pour statuer sur « toutes les questions d'administration de l'État ». Le conseil des ministres n'est donc, non plus, un véritable « gouvernement » ; il s'apparente évidemment beaucoup plus au comité exécutif d'un régime d'assemblée « commis » de celle-ci et à elle soumis.

Une Cour suprême de l'U.R.S.S. est instituée (article 153 et suivants) « organe judiciaire supérieur de l'U.R.S.S. » chargée d'exercer la surveillance de l'activité judiciaire des tribunaux. Elle est élue par le Soviet suprême et composée, comme tous les tribunaux, de juges et d'assesseurs populaires. La dépendance est certaine puisque les juges et assesseurs populaires sont, de manière générale, responsables devant les électeurs ou les organes qui les ont élus, à qui ils rendent compte de leur activité et qui peuvent les « rappeler ».

L'État dispose, enfin, de la procurature (articles 164 et suivants). Celle-ci est une organisation hiérarchique de procureurs allant du procureur général de l'U.R.S.S. aux procureurs locaux d'arrondissement ou de villes. Le chef de cette institution est nommé par le Soviet suprême, responsable devant lui et dépend de lui. La mission de la procurature est « la surveillance supérieure de l'exécution stricte et uniforme des lois » par toutes les instances publiques, entreprises, organisations sociales et citoyens.

II – Le jeu constitutionnel et politique

Le système socialiste de l'État-parti confère au jeu constitutionnel et politique un caractère très particulier. Les conflits qui caractérisent habituellement les rapports entre organes de l'État sont inexistants. Pour autant la lutte pour le pouvoir n'est évidemment pas absente mais transférée au plan du parti communiste.

1. L'absence de conflits au sein des institutions

Dans la logique même du principe d'unité du pouvoir d'État, le fonctionnement de l'État se déroule sans que des oppositions apparaissent entre ses organes. La rébellion ne surgit jamais contre l'organe supérieur. Ce dernier procède au changement des personnes qu'il désigne sans résistance. Mais le jeu constitutionnel est totalement atone dès lors qu'au sein même du ou des conseils ayant tous pouvoirs, aucune diversité d'opinions ne s'exprime. Au Soviet suprême de l'Union soviétique, comme dans les instances semblables des autres pays, aucune divergence n'apparaît. Les lois sont ainsi adoptées toujours à l'unanimité. Lorsque quelques abstentions s'expriment, elles sont fort remarquées. Jusqu'aux dernières années de forte perturbation du système, aucune voix ne s'élève pour contester les textes en discussion et pour s'y opposer. De toute façon, le Soviet suprême ne tient que des réunions excessivement brèves et tout à fait formelles.

On comprend qu'en ces conditions la tentation ait pu s'exprimer de mettre le droit en accord avec les faits et de procéder à un transfert de compétences de l'État au parti. En 1977, à l'occasion de l'établissement d'une nouvelle constitution, L. Brejnev, lui-même, s'est opposé à de tels projets de transferts substituant par exemple le bureau politique du parti au Soviet suprême pour l'adoption des lois.

2. L'opposition des politiques et des hommes au sein du parti

L'absence d'affrontements, au sein des organes de l'État et entre eux n'est pas le signe d'une complète apathie politique. La lutte pour le pouvoir naturellement se poursuit et se déroule en des conditions fréquemment implacables. Le mythe de l'unité réalisée à tous niveaux rend en effet toute opposition, même mineure, voire le risque d'opposition, gravement suspect. L'opposition n'étant pas considérée comme « naturelle » celui qui s'écarte de la ligne officielle est facilement considéré comme traître ou espion à la solde de l'étranger et traité comme tel. Des procès ont été organisés où les accusés reconnaissent leur trahison et s'accusent de comportements criminels. Parfois même, comme sous Staline, la férocité de la répression se marque par l'assassinat pur et simple de dirigeants.

Même lorsque les rapports politiques se normalisent et que le responsable politique écarté peut jouir d'une paisible retraite, la lutte politique n'en est pas moins permanente et acharnée. En U.R.S.S. les affrontements restent généralement discrets et ne viennent à la connaissance du public qu'au moment où la disgrâce est prononcée sous la forme hypocrite d'ailleurs d'une démission justifiée par des raisons de santé.

Section II
Le régime politique de la Chine populaire

Dans le pays le plus peuplé du monde, avec un milliard 300 millions d'habitants au début du XXIe siècle, le parti communiste chinois, créé en 1921 dans un congrès qui ne réunissait qu'une dizaine de membres, parvient après presque trente années de luttes à s'emparer du pouvoir. Le 1er octobre 1949 la République populaire chinoise est instituée. Pendant 27 ans elle connaît une parfaite stabilité au sommet avec la prééminence de Mao Zedong. Mais Mao n'est pas un gestionnaire tranquille. Animé d'une foi révolutionnaire permanente, désireux de transformer la société et les hommes qui la constituent tout en conservant le pouvoir, il lance successivement plusieurs mouvements : « Grand bond en avant » au cours duquel, entre 1958 et 1960, les « communes populaires » sont à la fois instrument de développement économique et de mobilisation politique de la population, « Révolution culturelle » au cours de laquelle les « gardes rouges », entre 1966 et 1968, sont enrôlés contre un parti communiste abâtardi. La volonté du dirigeant suprême soumet la vie de l'État à des secousses extraordinairement violentes. Après la mort de Mao et l'effondrement du socialisme soviétique et européen, la Chine continue de brandir l'emblème du socialisme mais en l'altérant profondément au plan de l'économie qui cesse d'être totalement collectivisée et administrée. L'instauration d'une « économie socialiste de marché » introduit un ferment de désordre dans le régime socialiste susceptible d'engendrer sa négation.

A – LA PERPÉTUATION DU RÉGIME POLITIQUE SOCIALISTE

Au moment où le socialisme soviétique et européen s'apprête à disparaître, le régime politique chinois, au petit matin du 4 juin 1989, fait écraser par les chars de son armée les étudiants qui s'éveillent sur la place Tian'anmen qu'ils occupent à Pékin. À cette extrémité le régime ne s'est pas laissé allé sans flottement : hésitant à faire couler le sang, le secrétaire général du parti Zao Ziyang a été écarté du pouvoir. Écrasant « l'émeute contre-révolutionnaire », le régime a rejeté la revendication de liberté politique et assuré sa survie.

I – L'organisation constitutionnelle

La Chine populaire a connu, au cours de ses cinquante premières années d'existence, l'instabilité constitutionnelle avec les constitutions de 1954, 1975, 1978, 1982. Cette instabilité traduit les changements d'orientation politique du régime et la volonté des dirigeants de les rendre solennels. Toutefois, au plan des institutions, les modifications introduites par les nouvelles constitutions sont limitées. Il est vrai que le principe d'unité du pouvoir d'État qui commande ces dernières ne se prête guère à la diversité des architectures. Pour autant cependant des variations peuvent être observées avec le modèle soviétique.

La Chine, malgré son importance territoriale et l'immensité comme la diversité de sa population, est un « État multinational unifié créé en commun par les diverses nationalités du pays ». Le risque de dissensions au sein de cet État est perçu puisqu'est affirmée la nécessité de « combattre le chauvinisme de grande nationalité… et aussi le nationalisme local » (préambule de la Constitution de 1982). De fait, au Tibet comme au Xinjiang, bouddhistes ou musulmans refusent l'intégration dans cet ensemble unifié. La Chine se veut clairement un État unitaire comme le marque d'ailleurs ostensiblement l'unicité de son assemblée.

L'Assemblée populaire nationale (APN) est « l'organe suprême du pouvoir d'État » (article 57). Elle comprend environ 3 000 membres, élus pour cinq ans, au suffrage universel indirect par les provinces, les régions autonomes et les municipalités ainsi que par les forces armées, au terme d'élections qui ne sont pas disputées. L'APN a par nature des pouvoirs illimités : l'énumération de ses pouvoirs s'achève par l'indication qu'elle exerce « les autres fonctions et pouvoirs que l'organe suprême du pouvoir d'État pourra avoir à assumer » (article 62). Elle peut, en outre, relever de leurs fonctions toutes les autres autorités de l'État. Mais cette prééminence de l'APN n'est que de principe. Parfois de manière extraordinaire, pendant de longues années, comme entre 1965 et 1975, elle ne se réunit pas. Ordinairement elle tient une session annuelle brève, de l'ordre de trois semaines. Mais l'APN est dotée d'un comité permanent qui, dans les années 90, se réunit six fois par an et d'un conseil de présidence de ce comité permanent chargé de l'exécution quotidienne des tâches du comité. À l'évidence le siège effectif du pouvoir ne se trouve pas à l'assemblée.

Un « conseil des affaires d'État », c'est-à-dire un gouvernement populaire central, est l'exécutif de l'organe suprême du pouvoir d'État ; il est l'organe administratif suprême de l'État (article 85). Ce conseil composé du Premier ministre et des ministres assure donc une fonction pour laquelle il est responsable devant l'APN et son comité permanent. En outre, un statut particulier est prévu pour la direction des forces armées confiée à une commission militaire centrale dont les membres sont élus par l'APN et le président responsable devant l'APN et son comité permanent.

Comme certains États socialistes européens, la Chine, en 1982, retrouve un président de la République (poste supprimé par les constitutions de 1975 et 1978). Le président est élu par l'APN et peut être, par elle, relevé de ses fonctions. Il ne dispose d'aucune volonté politique autonome puisqu'il n'agit, dans le cadre de ses compétences « qu'en vertu des décisions de l'APN et de son comité permanent ». L'existence d'un président ne met donc pas en cause l'application du principe d'unité du pouvoir d'État.

II – Le maintien du monolithisme du parti communiste

En 2001, année de son 80° anniversaire le parti communiste comprend 64,5 millions de membres soit un communiste pour 20 habitants. Cette force impressionnante est présente dans tout le pays avec une structure copiée sur celle de l'État jusqu'à la base des quartiers urbains et, moins strictement, des villages. Elle est présente également, en outre, dans les entreprises, administrations, hôpitaux, universités, unités militaires et de police sans oublier le relais, très maîtrisé, des organisations de masse : jeunes, femmes, syndicats... Dans un pays qui vise toujours à « réaliser le communisme » ce parti, unique, a une responsabilité écrasante qui lui impose d'être uni.

1. Le parti communiste, parti unique

Dans les deux dernières décennies du XXe siècle, au cours desquelles le multipartisme s'impose à peu près partout dans le monde, l'existence d'un parti unique, en Chine, est jugée indispensable. Le raisonnement en ce sens est maintenant plus pragmatique que marxiste. Si, comme le souhaite le pouvoir dès la fin des années 70, la croissance la plus élevée est fixée comme objectif au développement, les obstacles sont alors trop nombreux pour permettre le jeu de forces politiques différenciées. Celles-ci s'opposant nécessairement freineraient le mouvement. Ce qui commande « c'est en somme le pouvoir pour la puissance. Le pouvoir absolu du parti pour la plus grande gloire de la Chine. » (H. Eyraud).

L'absolutisme du parti exclut toute cristallisation d'oppositions dans une force indépendante. L'apparition d'opposants est combattue comme annonciatrice de forces antagonistes qu'il s'agisse d'opposition idéologique ou politique ou encore « séparatiste ». Mais l'exclusivisme du parti implique avant tout qu'attention soit portée à la loyauté de la force qui, plus que toute autre, peut menacer le régime à savoir l'armée. L'armée de libération populaire (ALP) compte encore, au début du XXIe siècle, après de récentes réductions d'effectifs, 2 500 000 soldats. À l'ALP s'ajoute une police armée populaire forte maintenant de 1 300 000 membres ainsi que des milices et réserves pour 1 000 000 d'hommes. Jusqu'en 1949, parti et armée ont vécu en osmose : les mêmes hommes exercent des fonctions dans le parti et dans l'armée de libération. Depuis cette date la spécialisation s'est naturellement établie dans le cadre de l'État mais le principe a été fixé par Mao que « le parti commande aux fusils ». La traduction institutionnelle de ce principe réside dans l'existence de la commission militaire centrale du parti et de l'État où siègent les mêmes chefs militaires et très hauts responsables du parti. Par ailleurs des militaires du plus haut rang sont membres du bureau politique du parti, voire du comité permanent du bureau politique composé de vrais dirigeants.

2. *Le parti communiste, parti « uni »*

Le parti communiste chinois, comme tout parti communiste, retient comme principe de fonctionnement le centralisme démocratique. Cela, dans le cadre d'une organisation assez classique, doit normalement lui assurer l'unité. Le parti est dirigé par un Congrès qui, maintenant, réunit, régulièrement tous les cinq ans, plusieurs milliers de délégués élus mais, en réalité, sans liberté de choix. Dans l'intervalle des Congrès un comité central tenant une ou deux réunions par année est censé diriger le parti. Cette direction est assurée en fait par le Bureau politique et son comité permanent (9 membres en 2002) et naturellement par le secrétaire général et le secrétariat du comité central qui, malgré cette référence est l'organe de travail du bureau politique. En ces derniers organes, où la même personne peut cumuler plusieurs responsabilités, se trouvent les dix ou vingt dirigeants qui exercent vraiment le pouvoir.

L'unité, en premier lieu, doit être idéologique. Chaque membre du parti est censé faire sien l'objectif socialiste, adhérer au marxisme-léninisme et à la pensée Mao Zedong, reconnaître la dictature démocratique du peuple que le parti conduit. Mais de fréquents rappels à l'ordre des adhérents et des cadres révèlent bien des errances. En 1996, le parti est appelé à se reprendre au plan idéologique et à façonner un esprit militant « aux idéaux élevés d'intégrité morale, de bonne éducation et de sens élevé de la discipline ». Au changement de siècle, le débat est vif sur la question de l'adhésion des entrepreneurs privés. Ceux-ci qui apparaissent lorsque l'économie cesse d'être complètement collectivisée ne sont-ils pas « exploiteurs » de leurs salariés ? Pourtant, en 2001, le secrétaire général est favorable à l'adhésion des entrepreneurs privés au parti (un sur cinq en serait déjà membre). « Il n'est pas souhaitable, déclare-t-il, de juger l'intégrité politique de quelqu'un au fait qu'il possède une propriété. Le principal critère doit être de déterminer si cette personne travaille de tout son cœur à appliquer la ligne du parti. » Le 16ᵉ Congrès du parti communiste, en 2002, clôt le débat en modifiant les statuts du parti qui, dorénavant, peut accueillir « tout ouvrier, paysan, militaire, intellectuel ou (novation) tout élément avancé d'autres couches sociales qui accepte le programme et les statuts »… À l'avenir, contrairement à l'enseignement marxiste, travailleurs exploités et exploiteurs œuvreront ensemble à l'avènement du socialisme. Cela marque, évidemment, la défaite des gardiens des dogmes qui ont, finalement, dû s'incliner…

L'unité, en second lieu, doit être politique. Dans la direction du pays le parti doit révéler l'unité de vue de ses principaux dirigeants. Ceux-ci, souvent à la tête de factions, sont censés gérer le pays sans conflits. Pourtant ces conflits apparaissent nettement en bien des occasions. En 1978, le limogeage de

Hua Guofeng du secrétariat du parti permet à Deng Xiaoping, en éliminant celui que Mao avait désigné comme successeur, d'acquérir la prééminence et d'engager le pays dans une réforme capitale. À la fin des années 80 l'éviction successive de deux secrétaires généraux, Hu Yaobang et Zhao Ziyang, traduit le refus d'une réforme politique et d'évolution vers la moindre démocratisation. Toutefois la dernière décennie du XXe siècle montre, qu'au-delà de la tendance à l'émergence d'un homme au sein du groupe dirigeant, en l'espèce en faveur du secrétaire général Jiang Zemin, une direction collective reste malgré tout possible. D'ailleurs, chaque année, en août, les responsables du parti se retrouvent dans la station balnéaire de Beidaihe pour des vacances considérées comme très politisées... C'est ainsi, apparemment sans affrontements majeurs, qu'ont pu être préparés les changements d'hommes intervenus au Congrès du parti de 2002. Jiang Zemin cède la direction du parti à Hu Jintao mais assure la présence de plusieurs de ses fidèles au comité permanent du bureau politique et, surtout, conserve la présidence de la commission militaire centrale. Renouvellement étendu des dirigeants mais dans la continuité...

B – L'avenir du régime socialiste

Après la mort de Mao, Deng Xiaping, sa prééminence assurée, engage la Chine dans une réforme économique fondamentale devant permettre de nourrir une population qu'un accroissement incontrôlé rend pléthorique et permettre également au pays d'accéder à un statut de grande puissance. Les entreprises cessent d'être toutes propriétés de l'État : l'initiative des collectivités comme des individus peut en créer. L'activité économique, sauf exceptions, n'est plus gérée dans le cadre d'une planification rigoureuse et la loi du marché s'impose dans la fixation des prix. Selon la révision constitutionnelle de 1993 l'État « pratique l'économie socialiste de marché ». La réussite suit la réforme. En vingt ans le PIB est multiplié par quatre. Mais l'abandon de l'une des caractéristiques du socialisme pratiqué jusqu'alors n'est pas anodin. La mutation dans l'ordre économique engendre une transformation de la société qui fragilise le régime politique socialiste.

I – La transformation de la société

Dans l'économie socialiste traditionnelle l'incertitude est, autant qu'il est possible, évacuée. Tout homme est travailleur, salarié d'une entreprise appartenant à la collectivité. Le travailleur des champs comme celui des usines est embauché sans vraie considération de sa compétence et des besoins de l'entreprise. Sa promotion est ensuite liée à l'ancienneté plus qu'à son mérite jusqu'au départ à la retraite. Sans doute ne tire-t-il de son activité laborieuse que des avantages modestes mais ceux-ci sont garantis. Ce statut uniforme du travailleur disparaît avec la réforme économique.

1. Une nouvelle stratification sociale

En 1978, dans le secteur industriel les entreprises d'État comptent pour 78 % de la production ; seize ans plus tard pour 34 %. Dans l'agriculture comme dans les services l'entreprise collectivisée tend à disparaître.

La condition salariale, en premier lieu, est transformée. Dans l'agriculture, dès la réforme lancée, l'exploitation familiale réapparaît, même si au plan du principe la terre ne revient pas en propriété à ceux qui la travaillent. La rémunération, redevenant liée à la production, s'accroît très vite et les communes rurales connaissent rapidement l'essor de l'habitat et de biens comme télévisions ou bicyclettes… Le sort des salariés de l'industrie dans les entreprises d'État est moins heureux. Celles-ci, à raison de leurs sureffectifs, sont gravement déficitaires. Elles doivent licencier sans qu'existe d'allocations de chômage. On passe ainsi de l'emploi à vie, voire héréditaire, au néant professionnel qui condamne parfois à l'errance sur le territoire immense du pays.

Cette même condition salariale est, en second lieu, abandonnée par certains. Des entreprises dites « collectives » sont créées à l'initiative de collectivités : communes, administrations, armée..., d'autres privées, à l'initiative d'individus notamment dans le commerce, l'artisanat, les services. L'initiative économique débridée suscite l'apparition d'entrepreneurs qui salarient leurs anciens semblables et, éventuellement, accèdent à la richesse.

En 2002, cette nouvelle stratification sociale est officiellement reconnue dans un rapport de l'Académie chinoise des sciences sociales présidée par un membre du bureau politique. À la division ternaire entre classes des ouvriers et des paysans et couche des intellectuels succède une classification beaucoup plus complexe individualisant dix couches sociales, notamment, le groupe des entrepreneurs privés et la classe moyenne des managers, techniciens spécialisés et employés qualifiés dont le rythme de développement a été élevé. Le parti, lors de son Congrès de 2002, enregistre cette réalité nouvelle en retenant « l'importante pensée » de Jiang Zemin dite des « trois représentativités ». Dorénavant le parti représente « les intérêts de l'écrasante majorité du peuple chinois », « la culture la plus avancée » mais, également, « les forces productives les plus avancées ». Acceptant, en conséquence, les entrepreneurs privés en son sein, le parti évite de se couper d'une réalité sociale issue d'une réforme économique qu'il a initié mais au risque évident d'affaiblir son assise dans les milieux ouvriers et paysans.

2. Le creusement des inégalités

La luxuriance d'une économie rendue à l'initiative des individus engendre des inégalités inexistantes dans un système maîtrisé par l'État. À la campagne la rémunération liée à la production diversifie des revenus dorénavant fonction de la qualité de la terre et de la compétence de l'agriculteur. Surtout après quelques années très favorables la stagnation des prix a placé le revenu rural moyen à un niveau deux à trois fois moindre que son homologue urbain. À la ville l'activité commerciale ou artisanale trouve une récompense financière variable. À la fin du XXᵉ siècle les statistiques chinoises indiquent que 20 % des résidents urbains prélèvent 42,5 % de la richesse urbaine. Une nouvelle classe moyenne apparaît forte de 40 à 50 millions d'individus. Mais, à l'inverse, les travailleurs évincés de la production dans les entreprises d'État connaissent un sort misérable sans protection sociale conséquente. Selon certaines estimations (H. Eyraud) sur une population active de 900 millions de personnes 250 millions seraient dans une situation d'exclusion et, parmi eux, 100 millions dans l'errance.

À un autre plan les inégalités se sont aggravées cette fois entre les régions. Le formidable développement de la fin du XXᵉ siècle est pour l'essentiel le développement, à partir de zones économiques spéciales, de la bordure côtière du pays où les revenus moyens sont deux à trois fois plus élevés que dans l'intérieur du pays.

L'effet désintégrateur de ces inégalités est d'autant plus accusé que les cadres du parti et de l'administration, jusqu'alors privilégiés et risquant d'être supplantés par les nouveaux riches, s'ingèrent dans l'activité économique privée par personnes interposées ou par leur descendance et profitant de leur position cèdent à la corruption. Celle-ci prend de telles proportions que le parti la condamne et la combat. Des condamnations sont prononcées comme l'adjuration pour les cadres « d'aider autrui » plutôt que de « penser uniquement à s'enrichir » où à « abuser illégalement de leur pouvoir ».

II – La contestation du monopole politique

Au début du XXIᵉ siècle les travailleurs, en faveur de qui le régime est censé agir, connaissent de graves difficultés. Le parti communiste perçoit bien que sa légitimité est, de ce fait, en cause. Il lui faut donc agir pour corriger tous les travers mais aussi renforcer la conscience du peuple « contre l'infiltration des forces hostiles à la fois intérieures et extérieures ». Il lui faut réagir contre ce qui s'oppose au régime.

1. L'irrépressible liberté

Les Chinois du nouveau millénaire ne vivent plus dans la société totalitaire de la « Révolution culturelle ». À certains égards ils jouissent d'une liberté individuelle certaine. Ils sont maintenant libres de leurs pensées, peuvent voyager même à l'étranger, peuvent fonder une entreprise… Toutefois la contrainte existe encore au plan familial avec l'interdit, non accepté, d'avoir plusieurs enfants et la liberté religieuse n'est pas totale dans la mesure où les églises sont placées sous le contrôle du pouvoir politique. Surtout la liberté collective est inexistante puisqu'aucune organisation indépendante de ce même pouvoir n'est autorisée. De ce fait la protestation résulte d'actions spontanées : rassemblements, manifestations, blocages de routes… ou parfois préparées comme les manifestations de la secte Fa Lun Gong à Pékin. Le tumulte, voire la violence, se substituent ainsi parfois à l'expression collective, interdite, des mécontentements.

2. L'intangibilité du monopole politique

Jamais, malgré quelques interrogations dans les années 80, le parti communiste chinois n'a pu se résoudre à renoncer à son monopole. Mais il lâche parfois un peu de lest. Les débats à l'assemblée nationale populaire peuvent être animés, les ministres priés de s'expliquer, les élections au sein de l'assemblée, même pour sa présidence, loin d'être unanimes. Depuis des lois de 1987 et 1998, des élections locales, au niveau le plus bas de l'organisation de l'État : celui du village ou du quartier, commencent à connaître la pluralité de candidatures… mais après acceptation de ces candidatures par le parti…

En revanche, tout ce qui porte atteinte au monopole de l'information est combattu. Certes à l'ère d'Internet il n'est plus aussi facile de laisser un peuple ignorant de la réalité de son pays et du monde : l'alunissage d'Américains ne pourrait plus être tu comme il le fut en 1969. Mais le pouvoir, par tous moyens possibles, s'efforce de contrer la diffusion d'opinions contestataires. Le combat, cependant, parait bien difficile à remporter tant le progrès technique des moyens de diffusion de la pensée change les conditions du contrôle politique.

À supposer, à terme, ce combat perdu reste la possibilité de maintenir l'ordre « socialiste » par la coercition. Des mesures certainement appropriées ont été prises à cet égard avec le renforcement d'une police armée entraînée à exercer, avec professionnalisme, sa fonction de contrainte.

Section III
Le régime politique des autres États socialistes

Du « deuxième monde » socialiste de la seconde moitié du XXe siècle ne subsistent plus, hors la Chine, que quatre États pour se référer à l'idéologie marxiste. Cuba, en grande difficulté depuis la disparition de l'U.R.S.S., connaît depuis quatre décennies la dictature de F. Castro et stagne économiquement dans la pénurie. Le Viêt-nam, et dans son sillage, plus timidement, le très pauvre Laos, s'est, après une interminable guerre de libération et une décennie initiale de rigidité dogmatique, inspiré de l'exemple de la Chine. Dans ce pays de près de 80 millions d'habitants le « renouveau » décidé en 1986 a largement transformé son économie. Dix ans plus tard le secteur privé produit plus de la moitié du PNB. Mais il en coûte idéologiquement : l'entrepreneur privé est encore perçu comme exploiteur… Là, comme en Chine, la mutation ne s'est produite qu'au plan économique. Au plan politique le monopole du parti communiste reste indiscuté. C'est, en conséquence en son sein que se déroule la lutte pour le pouvoir avec des affrontements parfois publics. Ainsi au tout début du XXIe siècle le secrétaire général du parti est remplacé, trois ans seulement après son accession au poste suprême pour « manque de capacité dans la direction du parti et de l'État ».

À l'opposé des pays socialistes lancés dans la mutation de leur structure économique la Corée du Nord, un demi-siècle après la mort du « père des peuples » reste pétrifiée dans un système parfaitement stalinien. Après la Seconde Guerre mondiale, dans la partie nord de la Corée coupée en deux, Kim Il Sung établit son pouvoir, rapidement absolu, et cherche à préserver l'indépendance de son pays face à ses deux grands voisins : l'U.R.S.S. et la Chine. En ces circonstances, le marxisme-léninisme s'enrichit de l'idéologie du « djoutché », combinaison des concepts d'autarcie et d'indépendance. Mais si l'indépendance est effectivement assurée par le « Grand leader, génial et bien aimé, soleil de la Corée » l'autarcie, à la fin du XXe siècle, n'engendre que pénurie, misère et finalement famine dans un pays coupé du monde. Cet échec qui consacre le malheur d'un peuple n'étouffe en rien un culte de la personnalité parfaitement extravagant. Kim Il Sung réussit même, dans une opération déconcertante en régime socialiste, à assurer une succession dynastique en faveur de son fils Kim Jong Il. Ce dernier, déjà pourtant depuis vingt ans « glorieux centre du parti », met toutefois trois ans, après la mort de son père, avant d'accéder à la fonction de secrétaire général du parti, signe sans doute, de contestations internes.

Chapitre III

La succession du régime politique socialiste en U.R.S.S. et en Europe

Le système socialiste a refusé l'évolution. Tous les mouvements tendant à le corriger ont été réprimés de Poznan à Budapest, de Prague à Gdansk. Aucune instillation des principes du libéralisme n'a été réalisée et jamais nulle part, du fait de l'impérialisme de l'U.R.S.S. remplissant ses « devoirs d'internationalisme prolétarien », le socialisme n'a pu acquérir « visage humain ».

Son échec est patent. Le désastre économique est sans précédent dans les temps modernes puisque la décroissance économique sanctionne l'application d'un système censé parvenir à l'abondance. La pénurie des biens les plus essentiels à la vie condamne l'organisation économique qui l'engendre. Au plan politique, le socialisme, engagé dans la réalisation de la liberté de l'homme, se révèle oppressif et criminel.

Les pays socialistes qui, jusqu'alors, avaient surmonté l'agression des dissidences individuelles et l'explosion sporadique de contestations collectives entrent dans une période de turbulences après l'accession, en mars 1985, de

M. Gorbatchev au secrétariat général du parti communiste de l'U.R.S.S.. Conscient des vices du système, le nouveau secrétaire général veut le rendre économiquement efficace et pour cela le libéraliser politiquement. Profitant du mouvement engagé en U.R.S.S., les États d'Europe centrale et orientale connaissent alors une contestation populaire de leur système et, malgré la résistance des gouvernants, dorénavant privés du secours de l'Armée rouge, le système part à la dérive. Le mouvement de rejet du socialisme culmine en 1989 et triomphe lorsqu'est abattu, le 7 novembre, le « mur de la honte » qui, à Berlin, consacre et symbolise l'existence d'un monde à part. À ce moment s'effondre, en Europe, le système qui vient de traverser le siècle en paraissant toujours gagner en influence, et qui est, sans doute, sa marque la plus originale au plan des régimes politiques.

SECTION I
LA SUCCESSION DU RÉGIME POLITIQUE EN U.R.S.S.

Un formidable bouleversement se produit au début des années 90. Dans un pays sans aucune tradition libérale, passé de l'autocratie tsariste au totalitarisme communiste le libéralisme est établi. La liberté individuelle est affirmée et le pluralisme politique reconnu. L'économie collectivisée et administrée disparaît et le capitalisme que le socialisme devait dépasser et rendre obsolète, est rétabli. Mais la réussite ne pouvant être instantanée, une régression sociale s'ensuit qui plonge une partie importante de la population dans la misère. L'État soviétique lui-même ne peut se perpétuer et disparaît. La Russie renaît pour succéder à l'Union des Républiques socialistes soviétiques.

A – LA DISPARITION DE L'U.R.S.S.

L'ébranlement du socialisme, après 1985, va rapidement emporter le système et révèle l'absence de solidité de l'État lui-même. Dès l'instant où la férule du parti communiste impressionne moins la population des diverses républiques, certaines d'entre elles, puis finalement toutes, revendiquent leur indépendance. L'Union, malgré les efforts consentis pour sa rénovation ne peut, sans l'autorité du parti communiste, se perpétuer, même sous une forme peu contraignante, et l'État soviétique disparaît.

I – L'abandon du socialisme

En quelques années, après l'accession de M. Gorbatchev à la direction du parti communiste, la société socialiste, figée depuis des décennies dans le carcan de l'idéologie, évolue rapidement. De profonds bouleversements en résultent.

1. La conception nouvelle de l'État

Dans la doctrine marxiste, le droit n'est qu'une superstructure conditionnée par la société et, en définitive, par les rapports de production. Dans l'État socialiste, le droit est conditionné par les intérêts du peuple et du socialisme. La valeur de la règle de droit est ainsi fonction de sa conformité à l'intérêt du socialisme. Une mutation fondamentale se produit lorsque M. Gorbatchev reconnaît l'existence de « valeurs communes à l'humanité ». Dès lors, il est admis qu'un fonds de principes est valable partout et toujours, doit être appliqué partout et toujours, et que l'État socialiste, à l'instar des autres États, doit respecter.

L'État doit, en premier lieu, devenir un « État de droit ». Au plan interne un contrôle de constitutionnalité est institué qui sanctionne tout écart à la constitution ou aux engagements internationaux de l'U.R.S.S. notamment à la Déclaration universelle des droits de l'homme. Au plan international la politique étrangère de l'État change de cap pour affirmer le respect du droit international et l'insertion dans la communauté internationale.

L'État, doit, en second lieu, reconnaître effectivement les libertés individuelles : les droits de propriété, de grève, la liberté de la presse apparaissent alors que dans le même temps le pouvoir apprend à maintenir l'ordre public autrement qu'en faisant donner la troupe.

2. La suppression du rôle dirigeant du parti communiste

Partant du socialisme, aucun changement de régime n'est possible sans que le pouvoir « souverain » du parti communiste soit atteint. À la fin des années 80, le parti, sous l'action de son secrétaire général, va progressivement perdre de son influence jusqu'à être « suspendu » en 1991. Les forces politiques se diversifient et la vie publique revêt des formes inconnues.

Le rôle du parti communiste est d'abord limité. La réforme engagée vise à libérer les dynamismes dans la vie économique. Pour cela doivent être supprimés les réglementations, contrôles, contraintes de tous ordres qu'assuraient les cadres du parti. Aux élections le scrutin secret comme la réduction du nombre de mandats menacent les titulaires. En 1990 la réforme du bureau politique du parti fait perdre à celui-ci l'organe adapté au gouvernement du pays. Le rôle dirigeant du parti est, ensuite, officiellement aboli en 1990. On sait alors que le régime socialiste a disparu. Le parti communiste perd, enfin, sa caractéristique traditionnelle de monolithisme. En 1989, au Congrès des députés du peuple, les élus membres du parti communiste se séparent en groupes parlementaires fortement différenciés par leurs options. En 1990, l'élection des délégués au Congrès du parti s'effectue, au scrutin secret sur la base de la pluralité des candidatures justifiée par des plates-formes politiques antagonistes. Le Congrès consacre la mutation en accordant, malgré le dogme du centralisme démocratique, la liberté d'opinion avec autorisation de formulation de politiques différentes, le droit de critique, la pluralité des candidatures sans limites, les élections libres et secrètes, la limitation du renouvellement des mandats…

Lorsqu'elle abolit le rôle dirigeant du parti communiste en 1990, la révision constitutionnelle reconnaît logiquement le droit à l'existence d'autres partis. Si aucun parti n'a réussi immédiatement à se constituer à l'échelle de l'Union il n'en a pas été de même au niveau des républiques où un multipartisme réel a souvent émergé. Surtout des partis nationalistes, parfois dirigés par d'anciens dirigeants communistes, ont rapidement connu le succès et, en presque la moitié des républiques, gagné les premières élections. La Russie, quant à elle, a connu un premier affrontement pluraliste d'importance à l'occasion de l'élection de son président au suffrage universel direct. En juin 1991, B. Eltsine l'a facilement emporté au premier tour avec 60 % des suffrages exprimés devant cinq autres candidats dont celui du parti communiste.

3. La transformation de l'organisation constitutionnelle

De décembre 1988 à août 1991 six révisions constitutionnelles ont été adoptées forgeant progressivement un régime politique nouveau. Ce régime, renonçant à l'application du principe d'unité du pouvoir d'État, met en place des pouvoirs véritables et distincts. Un Congrès des députés du peuple est institué doté d'un organe permanent : le soviet suprême composé de deux chambres, soviet de l'Union et soviet des nationalités. Au Congrès les décisions les plus importantes, au soviet suprême le pouvoir législatif et de contrôle du gouvernement. Un président de l'U.R.S.S. apparaît, auquel M. Gorbatchev est élu, avec les pouvoirs considérables des présidents américain et français cumulés. Mais la tentative de coup d'État d'août 1991 met un terme à l'application du système nouveau. Une nouvelle organisation est envisagée dont la désintégration de l'État ne permet pas l'application et par laquelle les républiques imposaient « au pouvoir central la quasi-disparition du gouvernement fédéral » (P. Gelard).

II – La désintégration de l'État

Lorsqu'elle est créée en 1917, l'U.R.S.S. est conçue comme un État devant progressivement intégrer tous les pays devenant à leur tour socialistes. Une telle ambition amène à reconnaître les diverses Républiques qui composent l'U.R.S.S. comme des États détenteurs de droits « souverains » (Constitution de 1924). Très logiquement, un droit de sécession leur est reconnu. En 1977, l'article 72 de la Constitution nouvelle dispose que « Chaque République Fédérée conserve le droit de sortir librement de l'U.R.S.S. ». Ce droit, tant que le socialisme s'impose, est purement théorique mais lorsqu'il s'affaiblit, justifie la revendication d'indépendance.

1. L'essai de rénovation de l'Union

L'U.R.S.S. se définit comme « un État multinational fédéral uni » fondé sur l'autodétermination des nations et la libre association des républiques (Constitution de 1977, article 70). Mais le fédéralisme « socialiste » n'a de fédéral que l'appellation. L'article 73 qui définit les compétences de la fédération s'achève par un alinéa 12 qui lui attribue « le règlement des autres questions d'importance fédérale », naturellement négateur de toute autonomie réelle des Républiques. Surtout, les organes de l'État, fédéraux ou fédérés, sont soumis à la volonté du parti communiste de l'U.R.S.S. qui ne laisse aucune marge d'autonomie à ses organisations locales. L'État est donc avant tout « uni ». Le pouvoir central, sous l'autorité du parti communiste, a la maîtrise exclusive du gouvernement de l'Union.

À la fin des années 80, des troubles nombreux et graves se produisent dans toute l'Union et mettent aux prises dans des affrontements armés des nationalités qui refusent de coexister. Le pouvoir central se révèle rapidement impuissant à dominer la multiplication des conflits nationalistes. Plus gravement encore pour lui, les revendications de souveraineté et, à la suite, d'indépendance s'expriment et les déclarations en ce sens sont adoptées dans les Républiques en 1990 et 1991. En 1990, toutes les Républiques (sauf la Lithuanie et la Lettonie qui ne sont intéressées qu'à se revendiquer indépendantes) se proclament souveraines. Avant août 1991, deux Républiques (la Lithuanie et la Géorgie) ont franchi le pas et se sont déclarées indépendantes.

Le pouvoir central n'a pas assisté passivement à ce mouvement. Désireux de préserver l'Union, le président de l'U.R.S.S. a cherché par différents moyens à contrecarrer la volonté d'indépendance. En mars 1991, le pouvoir central décide un référendum, prévu dans toute l'U.R.S.S., mais que six républiques refusent d'organiser, à l'occasion duquel il est demandé aux citoyens s'ils estiment « indispensable le maintien de l'U.R.S.S. en tant que fédération renouvelée de Républiques souveraines ». Malgré les conditions particulières de cette consultation, environ 80 % des inscrits participent au vote et dans la même proportion répondent affirmativement. Surtout, inlassablement M. Gorbatchev essaie de faire accepter un nouveau pacte d'union.

En novembre 1990, mars 1991, juin 1991, des projets de pacte sont publiés reconnaissant la souveraineté des États membres de l'Union et cherchant à préciser les compétences de la fédération et des Républiques. Mais la réussite n'est pas venue couronner les efforts accomplis et le coup d'État d'août 1991 a interrompu le processus de signature du troisième de ces pactes qui paraissait devoir s'engager. Après l'échec du coup d'État, une dernière tentative de création d'union d'États souverains échoue, en novembre 1991, à créer un « État confédéral ».

2. L'éclatement de l'Union

Le coup d'État d'août 1991, a un effet désintégrateur considérable. Onze Républiques se déclarent indépendantes dans les jours et semaines qui suivent son échec. En décembre 1991, seuls la Russie et le Khazakhstan ne se sont pas affirmés indépendants. Les trois Républiques baltes voient leur indépendance reconnue par le conseil d'État de l'U.R.S.S. le 6 septembre 1991 et sont admises à l'ONU le 17 septembre. Les autres Républiques indépendantes ne connaissent qu'une reconnaissance moins étendue. Cependant, le 8 décembre 1991, à Minsk, les dirigeants de la Russie, de l'Ukraine et de la Biélorussie constatent que l'U.R.S.S. « en tant que sujet de droit international et réalité géopolitique n'existe plus ». La disparition de l'U.R.S.S. est officialisée, le 25 décembre 1991, lorsque M. Gorbatchev démissionne de la présidence de l'Union.

3. La « Communauté d'États indépendants »

Les nouveaux États, après – ou non – de solennelles déclarations d'indépendance exercent leur souveraineté. Ils consentent toutefois au maintien d'un minimum de liens. Le 8 décembre 1991, lors de leur réunion de Minsk, la Russie, l'Ukraine et la Biélorussie créent une Communauté ouverte à tous les membres de l'ancienne Union « ainsi qu'aux autres États qui partagent les buts et les principes » retenus par cette nouvelle structure. Le 21 décembre 1991, huit Républiques ex-soviétiques rejoignent la Communauté d'États indépendants créée quelques jours plus tôt. Tandis que les trois États baltes restent en dehors de la CEI, la Géorgie la rejoint le 3 février 1994.

B – LE RÉGIME POLITIQUE DE LA RUSSIE

Lors de la disparition de l'U.R.S.S. la plus importante de ses républiques la République socialiste fédérative soviétique de Russie devient un État indépendant fort encore de 145 millions d'habitants. Mais la nouvelle Russie connaît, à l'opposé, la faiblesse résultant de la formidable mutation économique et sociale liée à l'adoption de l'économie de marché. Celle-ci va engendrer à côté de quelques énormes fortunes rapidement bâties la détresse matérielle pour un grand nombre de salariés et de retraités : 44 millions de Russes, soit un tiers de la population, se trouvent encore en dessous du seuil de pauvreté au début du XXIe siècle. L'État parait, pas ailleurs, impuissant à imposer son autorité notamment dans l'une de ses composantes, la République de Tchétchènie, malgré la cruauté de ses interventions répressives ou encore dans la perception, défaillante, de ses recettes fiscales. La personnalité très controversée de son premier président B. Eltsine ne fait qu'ajouter au désordre ambiant. Dans ce contexte, non sans convulsions parfois, comme en 1993 où la suprématie politique s'est établie à coups de canon, la Russie a malgré tout mis en place un régime politique inspiré de la conception libérale même si celle-ci n'a pu immédiatement développer toute sa logique.

I – L'établissement du régime politique

À la disparition de l'U.R.S.S., en décembre 1991, la Russie connaît une situation politique lourde de menaces. Son président, comme cela a été décidé par référendum, a été élu en juin 1991 au suffrage universel direct. Animé d'une volonté réformiste tant au plan politique qu'économique, B. Eltsine trouve en face de lui un parlement élu en 1990 dont de nombreux députés restent encore attachés au socialisme soviétique. Alors que doit être mis en place un régime politique nouveau sur lequel les vues divergent la situation constitutionnelle est confuse.

1. L'incertitude constitutionnelle

En 1992 la Russie vit toujours sous l'empire de la constitution soviétique de 1978 adoptée dans la foulée de celle de l'U.R.S.S. de 1977. Celle-ci, ne correspondant plus au cours nouveau, a été révisée à de nombreuses reprises et de manière étendue (une révision d'avril 1992, par exemple, modifie 69 articles et en ajoute 40 !) Il en résulte une confusion inévitable quand des dispositions d'inspirations, opposées se retrouvent en un même texte. Par ailleurs une régulation constitutionnelle ne peut être attendue d'un contrôle de constitutionnalité balbutiant. En fait le président décide par ordonnances, les parlementaires légifèrent, mais sans que les lois soient appliquées.

2. Le différend constitutionnel

Président et parlement, en cela naturellement fidèles à leurs intérêts respectifs, sont en désaccord. B. Eltsine souhaite une constitution qui accorde au chef de l'État les pouvoirs très étendus du président américain, chef du gouvernement, et du président français, maître de la durée du mandat des parlementaires. Ces derniers, soucieux d'assurer l'indépendance de leurs successeurs, souhaitent l'établissement d'un régime présidentiel. Entre un régime de prééminence présidentielle et un régime d'équilibre constitutionnel l'enjeu est d'importance. L'opposition constitutionnelle, qui se double, par ailleurs, de divergences profondes sur les réformes économiques à engager, suscite à partir de 1992 une crise qui culmine en septembre-octobre 1993. À la décision de B. Eltsine d'interrompre les fonctions du parlement répond la résistance de ses membres appuyés par la cour constitutionnelle. L'armée, aux ordres du président, s'empare alors du parlement par la force faisant au passage plusieurs centaines de victimes. En décembre 1993, B. Eltsine sollicite le peuple sur le texte constitutionnel qui a sa faveur. Celui-ci est adopté à la majorité de 58 % des suffrages exprimés. Le même jour sont élus les députés de la Douma, chambre basse du parlement bicaméral institué par la nouvelle constitution. S'éloignant de la tradition autoritaire, l'État russe cherche dorénavant son avenir, non sans tâtonnements, dans la démocratie.

II – Un État démocratique

Selon la constitution la Russie « est un État démocratique » (art. 1er), « l'homme, ses droits et libertés constituent la valeur suprême » (art. 2), « le pluralisme idéologique est reconnu » (art. 13). D'entrée de jeu, dans un chapitre premier consacré aux fondements de l'ordre constitutionnel, la constitution fixe les principes démocratiques qui président dorénavant à l'État renaissant de Russie.

1. La liberté individuelle

La constitution réserve au chapitre deux l'énoncé des droits et libertés de l'homme et du citoyen. Ce chapitre s'inspire du texte de la Déclaration universelle des droits de l'homme et respecte l'ordre de présentation des démocraties libérales qui énumère les libertés individuelles avant les droits économiques et sociaux. Sont ainsi reconnus les droits à la vie, à la dignité, à l'inviolabilité de la personne, à la vie privée, à la propriété, comme les libertés d'aller et de venir, de conscience, de pensée, d'association, d'entreprise... avant les droits au travail, au logement, à la sécurité sociale, à la protection de la santé... et les devoirs à l'égard de la famille, de la nature, de la patrie... De plus, au plan du droit pénal la constitution formule les grandes règles retenues par les États démocratiques : garantie des droits et libertés par les tribunaux, présomption d'innocence, non-rétroactivité des lois...

Dans un pays où le respect du droit n'a pas d'antécédent il était difficile d'imaginer que les droits et libertés proclamés puissent être immédiatement assurés. Sans doute un code pénal nouveau a-t-il été adopté en 1996 et un code de procédure pénale en 2001 pour rompre avec la législation soviétique. Mais, aux dires même, du président W. Poutine, les droits des citoyens sont encore violés, la corruption sévit dans la justice, une « justice de l'ombre » s'applique et, sans que le président cette fois le dénonce, le pouvoir central comme les pouvoirs locaux imposent fréquemment leurs volontés aux juges. Une réforme est bien engagée en 2001, relative aux magistrats et avocats, mais, aux dires mêmes des professionnels concernés, elle semble peut appropriée.

2. Le pluralisme politique

L'article 13 de la constitution après la reconnaissance du pluralisme idéologique interdit, en référence évidente au passé, l'instauration d'une idéologie d'État ou obligatoire et reconnaît logiquement le pluralisme politique et le multipartisme. Comme souvent à la sortie d'une ère autoritaire, le multipartisme est débridé. Aux élections à la Douma, en 1993, treize listes sont en présence, douze obtiennent une représentation et 30 sièges sont attribués à des indépendants. Aux élections suivantes, en 1995, 43 listes s'affrontent mais quatre seulement franchissent le seuil de 5 % des suffrages nécessaire pour obtenir des sièges à la représentation proportionnelle qui attribue la moitié des sièges de la Douma. Quatre ans plus tard, en 1999, 27 listes de partis et coalitions sont en concurrence dont 6 obtiennent plus de 5 % des suffrages. Quant aux élections présidentielles de 1996 et 2000, onze candidats, à chaque fois, sont en présence. L'ampleur du multipartisme (dont ces chiffres ne rendent compte qu'imparfaitement car de nombreux partis ne remplissant pas les conditions exigées ne sont pas autorisés à concourir) est jugée excessive. En 2001 une loi tend à sa réduction. Des 179 partis recensés à cette date, W. Poutine voudrait parvenir à l'émergence d'un système à 3, 4, ou 5 partis.

Le multipartisme, de toute façon, ne saurait abuser. Sans doute la régularité du processus électoral est-elle attestée fréquemment par des observateurs étrangers. Mais aux élections de 1999 et 2000, plus nettement encore qu'auparavant, les moyens dont disposent les candidats sont considérablement inégaux. Les chaînes de télévision visibles sur tout le territoire sont aux ordres du pouvoir qui en use et abuse, et les candidats du pouvoir bénéficient largement du concours de l'administration.

La fraude n'est pas, non plus, absente. Même si en 2000, selon toute vraisemblance, W. Poutine aurait remporté l'élection présidentielle au second tour sa victoire au premier est, sans doute, la conséquence de manipulations dans la recension des suffrages.

Il n'est pas, enfin, de pluralisme réel sans moyens d'information libres. An début des années 2000 la situation à cet égard est inquiétante. Par divers moyens le pouvoir s'est assuré le contrôle de médias jusqu'alors indépendants (télévisions, radios, journaux...) et les journalistes trop critiques inquiétés. Malgré les protestations le recul de la liberté paraît inexorable et s'accentue encore en 2002.

III – Un État fédéral

La Russie est dénommée par la constitution de 1993 : « Fédération de Russie ». En tant que telle elle est fondée, sans qu'il y soit d'ailleurs fait référence dans la constitution, sur un traité fédéral signé le 31 mars 1992 par toutes les entités composantes, à l'exception de deux républiques autonomes de la défunte république socialiste fédérative soviétique. À l'inverse de cette dernière le fédéralisme cesse d'être purement nominal pour acquérir une consistance certaine.

1. Le fédéralisme dans la constitution

La Fédération de Russie regroupe divers « sujets » : 21 républiques, 6 territoires, 49 régions, 2 villes d'importance fédérale : Moscou et Saint-Petersbourg, une région autonome et 10 districts autonomes. Seules les Républiques disposent d'une constitution ; les autres entités de statuts mais toutefois également adoptés par les organes de la collectivité fédérée. Le fédéralisme retenu fait la part belle à la fédération. Les compétences de celle-ci sont nombreuses : 18 alinéas de l'article 71 les énoncent, et essentielles : politique extérieure, défense, budget fédéral, monnaie, organisation judiciaire, législations pénale et civile... À elles s'ajoutent 14 compétences conjointes (article 72) entre la fédération et ses sujets : protection des droits et libertés, exploitation de la nature, enseignement, protection de la santé... L'autonomie des collectivités fédérées est donc restreinte.

2. Le fédéralisme dans les faits

Pendant les années 90 le pouvoir central, avec le tonitruant B. Eltsine, est faible. Il n'est pas « une décision de l'autorité centrale appliquée partout dans le pays » (M. Mendras). Ses difficultés budgétaires sont telles que crédits et subventions ne peuvent être attribués aux collectivités. En ces conditions sans l'avoir cherché, sans se placer dans une visée séparatiste, les entités fédérées se sont largement autonomisées. Du désordre de l'État elles ont tiré l'avantage d'une liberté de réglementation ignorant la législation fédérale ou de la conservation par devers elles de ressources fiscales qui revenaient de droit à la fédération.

Cette situation pré-anarchique ne pouvait s'éterniser sans dommage grave pour la Russie. W. Poutine, dès son élection en 2000, prétend instaurer « un pouvoir vertical » et « une dictature de la loi ». Mais sa volonté se heurte à une petite centaine de dirigeants, souvent anciens responsables communistes, qui ont pris l'habitude de la liberté, voire de l'arbitraire. Les mesures prises, notamment la désignation de 7 représentants spéciaux de haut niveau : généraux, ancien Premier ministre... chargés d'un grand district regroupant plusieurs collectivités, ont suscité de fortes résistances. W. Poutine a pu faire adopter une loi permettant la destitution des chefs des exécutifs locaux pour violation des lois fédérales ou crimes graves mais à dû accepter le renouvellement des mandats des présidents locaux et la non-mise en conformité des lois locales à la loi fédérale. En 2002, toutefois, le président de la république d'Ingouchie, coupable, faute impardonnable, d'avoir condamné la guerre en Tchétchénie, démissionne sous la pression des pouvoirs centraux. En d'autres collectivités, comme au Tatarstan, la remise en ordre se poursuit avec fermeté…

IV – Un régime à suprématie présidentielle

Le poids de l'histoire comme les conditions d'établissement de la constitution devaient presque inévitablement engendrer un régime politique marqué par la prééminence du chef de l'État. Tel est bien ce qu'organise le texte constitutionnel et qui est, ensuite, conforté par le jeu des institutions sous les présidences de B. Eltsine et W. Poutine.

1. Les rapports entre gouvernants et gouvernés

Sous réserve du référendum que le président (art. 84 de la constitution) peut décider, la démocratie est représentative. Le peuple, outre les consultations régionales et locales, a l'occasion tous les quatre ans d'élire son président et, selon la même périodicité, les députés à la Douma. En ces occasions, les citoyens russes, en 1996 et 2000 pour leur président, 1993, 1995 et 1999 pour leurs parlementaires se sont prononcés un des conditions qui ne permettent par vraiment un choix politique clair.

L'inconsistance des partis est un premier obstacle. Hors le parti communiste qui, malgré l'effondrement du régime socialiste conserve une influence considérable (25 et 30 % des suffrages aux élections de 1999 et 2000) les partis ne disposent pas d'une organisation présente sur l'ensemble du territoire. Au plan parlementaire, insuffisamment structurés, ils sont impuissants à faire respecter une discipline de vote par leurs élus. Le nombre de partis, comme on l'a vu, excessif lors des élections législatives, de même que le nombre considérable de candidats (et d'élus) indépendants prive le vote d'une portée globale. Surtout, peut-être, l'instabilité des forces politiques qui interdit de les retrouver d'une élection à l'autre empêche toute sanction.

L'attitude des présidents est, en second lieu, responsable de l'éviction du peuple. B. Eltsine n'est le chef d'aucun parti, a toujours obstinément refusé de l'être ; ce faisant il interdit au peuple de le sanctionner ou de valider son action lors des élections législatives. Refusant d'entrer dans le jeu partisan il se place au-dessus du champ des affrontements politiques. Dès lors c'est en vain que le peuple, en 1993 et 1995, par le choix des représentants à la Douma, marque la forte résistance aux réformes. De plus, comment les citoyens pourraient-ils vraiment apprécier une gestion où, en dix-huit mois, quatre Premiers ministres se succèdent ! Que penser également de l'attitude de B. Eltsine lors de l'élection présidentielle de 1996 où, menacé par le candidat communiste, il mobilise ses partisans en faveur d'un troisième candidat afin ensuite de le rallier à sa candidature pour le second tour ? Après la démission de B. Eltsine le mal ne paraît pas conjuré. Avant de se retirer, ce dernier a désigné comme Premier ministre, mais surtout pour lui succéder, W. Poutine. Celui-ci devenu président par intérim remporte six mois plus tard l'élection présidentielle sans avoir fait campagne, sans avoir accepté la confrontation avec d'autres candidats, surtout sans avoir formulé d'autre projet que celui de rétablissement d'un État fort. Dans la foulée le président du gouvernement qu'il désigne affirme hautement devant la Douma son absence de programme.

Malgré la perception d'un jeu politique dont ils restent exclus les citoyens russes ne se découragent pas d'exercer leur droit de vote. Si tant est que les statistiques électorales soient fiables (le nombre d'inscrits entre les consultations électorales varie, de manière erratique, en des proportions anormales.) deux citoyens sur trois votent lors des dernières élections du XXe siècle.

2. Les rapports entre gouvernants

Les régimes politiques des démocraties occidentales sont fondés, notamment, sur le principe de séparation des pouvoirs. Mais, depuis des décennies, leur évolution s'écarte de la rigueur des conceptions de Montesquieu. Pour la Russie contemporaine cet écart est encore plus nettement marqué.

a) La constitution

Le texte constitutionnel traite du président avant l'assemblée fédérale. Le président, élu pour quatre ans au suffrage universel direct et rééligible immédiatement, seulement une fois, « détermine les orientations fondamentales de la politique intérieure et extérieure de l'État ». Comme le président d'un régime présidentiel il nomme et révoque les membres du gouvernement, dispose d'un droit de veto sur les lois... Comme le président d'un régime parlementaire il nomme le président du gouvernement, peut recourir au référendum, à la dissolution de la Douma, déclarer les états de guerre ou d'urgence, déposer des projets de lois, prendre des ordonnances... Il doit veiller à l'intégrité du territoire et est, en conséquence, chef des armées et de la diplomatie.

Face au président l'assemblée fédérale comprend naturellement deux chambres : la Douma dont les membres sont élus pour quatre ans : la moitié d'entre eux à la représentation proportionnelle, l'autre au scrutin majoritaire à un tour et le Conseil de la fédération composé égalitairement de deux représentants par entité : l'un représentant l'exécutif de l'entité (sans, depuis 2001, pouvoir être son chef), l'autre son pouvoir législatif. Les assemblées votent la loi à la majorité absolue de leurs membres ou à la majorité des deux tiers à la Douma en cas d'opposition du Conseil de la fédération. Si le président oppose son veto, celui-ci ne peut-être levé qu'à la majorité des deux tiers en chaque chambre. Les deux assemblées détiennent des pouvoirs propres. Le Conseil de la fédération approuve l'état de guerre ou de siège, décide de recourir à la force armée en dehors des frontières, destitue le président... La Douma approuve la nomination du président du gouvernement, se prononce sur la question de confiance mais peut-être dissoute en cas de refus, trois fois répété d'approbation de la nomination du président de gouvernement ou en cas de vote de défiance, à deux reprises, dans un délai de trois mois.

Quant au gouvernement il est agent d'exécution de la volonté du président et, comme en France sous la Vᵉ République hors période de cohabitation, est responsable devant le président comme devant la Douma.

Une cour constitutionnelle, enfin, est juge de la conformité à la constitution des actes juridiques les plus importants de la fédération et des collectivités fédérées et règle les conflits entre organes de la fédération, organes des collectivités fédérées, et organes de la fédération et des collectivités. Ainsi la constitution est-elle préservée de violation comme d'ailleurs de révisions non réfléchies à raison de la difficulté des procédures de révision.

b) La vie constitutionnelle

Les premières années de mise en œuvre de la constitution ont fixé un équilibre constitutionnel conforme à celui que le texte permettait d'attendre. Cet équilibre, très favorable au président, est d'autant plus intéressant que jusqu'à la fin de 1999 jamais B. Eltsine n'a disposé d'une majorité acquise à la Douma.

L'hégémonie du chef de l'État se marque d'abord dans l'importance de son entourage. Celui-ci ne consiste pas en un cabinet, même pléthorique, mais en une véritable administration présidentielle, généralement évaluée à 2000 personnes. Cette administration double et tend à supplanter les ministères. Toutefois, sous B. Eltsine au moins, elle n'est pas gage d'efficacité dans l'action. Le président choisit des conseillers de tendances politiques ou économiques opposées, procède à des changements de responsables, écarte ces derniers pour leur redonner ultérieurement de l'influence... Pendant les longues absences pour maladie du président, comme en

1997, le chef de l'administration présidentielle fait figure de
« régent ». Lorsque, avec W. Poutine, la conduite des affaires,
de l'État prend un tour plus calme, mais aussi plus ferme,
l'administration présidentielle conserve naturellement son
influence.

C'est presque le même bon plaisir du président qui, sous
B. Eltsine, préside au choix du président de gouvernement et
à ses rapports avec lui et ses ministres. La valse de quatre
présidents de gouvernement en dix-huit mois, en 1998-1999,
est très étonnante. Mais cette versatilité se double encore de
manifestations publiques de mécontentement à l'égard des
ministres en exercice, de menaces de renvoi évidemment
déraisonnables puisque portant atteinte à l'autorité de
gouvernants...

Pareils comportements ne sont possibles qu'en raison de l'absence de résistance réelle de la Douma. Sans majorité le
président peut, cependant, imposer ses vues tant la représentation parlementaire parait hésitante. Lorsque la Douma
refuse d'approuver la nomination du président de gouvernement ou vote la censure la volonté du président n'est pas,
pour autant, mise en échec. Le vote d'opposition s'il était
confirmé deux fois pour le refus de confiance, une fois pour
la censure, pourrait entraîner dissolution de la Douma. Usant
de la menace de dissolution B. Eltsine a toujours fait fléchir
des opposants avertis que la perte de leur mandat entraînait
immédiatement perte de leur appartement de fonction, de
leur ordinateur, de leurs moyens de campagne électorale.
Naturellement les revirements des parlementaires dans des
scrutins essentiels ont pour effet de déconsidérer l'institution.
De même, en mai 1999, la Douma ne sort pas grandie du vote
sur la mise en accusation du président dans la procédure de
destitution. Alors que 300 voix sont nécessaires pour l'accusation de destruction de l'U.R.S.S., de destruction du
complexe militaro-industriel, d'assaut par la force du
Parlement, de génocide du peuple russe, de responsabilité de

la guerre en Tchétchènie il ne se trouve qu'entre 232 et 283 députés pour reconnaître la responsabilité du président sur ces différents faits tandis que, prudemment, plusieurs dizaines de députés ne prennent pas part aux votes.

La cour constitutionnelle n'aurait pu, à elle seule, endiguer l'autoritarisme présidentiel mais, proposant la nomination de ses membres au Conseil de la fédération B. Eltsine a pu s'assurer de sa bienvaillance stimulée par la fidélité du président de la Cour.

C – LES VESTIGES DE L'U.R.S.S.

Le 15 mars 1996, dans un coup d'éclat dépourvu de portée, la Douma adopte une résolution déclarant nul l'accord de décembre 1991 qui constatait la disparition de l'U.R.S.S.. Cette résolution n'entraîne évidemment pas la résurrection de l'U.R.S.S.. Celle-ci ne survit bien modestement qu'en la communauté d'États indépendants (CEI) qui, à l'exception des trois États baltes, réunit les anciennes républiques de l'U.R.S.S.

I – La CEI

Au début des années 90 la CEI aurait pu apparaître comme la tentative de perpétuation du passé centralisateur, voire colonial, de la Russie et donc susciter l'hostilité des ex-républiques soviétiques. La réalité est moins simple. La Russie voit l'inconvénient de se charger d'États souvent peu développés. Ces États, s'ils disposent de ressources naturelles sont tentés par l'entrée indépendante dans le monde capitaliste, mais s'ils en sont dépourvus perçoivent l'avantage de rester dans le giron de la Russie. Avec le temps les positions évoluent tant pour la Russie à la recherche d'espaces et de marchés que pour les autres États intéressés par l'alliance et la protection russe.

La CEI, dans ce contexte, présente l'avantage de constituer un cadre souple. Elle n'est évidemment pas un État, pas même une confédération d'États. Elle n'est simplement qu'une organisation internationale dépourvue de tout aspect supranational : n'est engagé que celui qui s'engage, celui qui ne le veut laisse les autres s'engager.

La CEI, dont l'organe essentiel est le conseil des chefs d'État, qui s'est réussi 26 fois en neuf ans, dispose d'une structure permanente forte d'environ 2 500 fonctionnaires. Au plan quantitatif au moins son bilan est flatteur : 2 000 accords bilatéraux ont été signés, 1 300 multilatéraux l'ont été également, dont 130 signés par l'ensemble des 12 États membres (mais 7 seulement ont été ratifiés par tous) (Y. Roubinski. Les éclats de l'Empire ou la CEI).

En vérité, cependant, si la CEI s'est occupée de nombreux problèmes le bilan des résultats est assez peu consistant. L'acte fondateur prévoit une coopération générale et ouverte à d'innombrables domaines. Parmi ceux-ci : la situation des nationaux de chaque État chez les autres, la politique extérieure et de défense, l'économie…

Dans un contexte difficile de révoltes internes à certains États, de guerres entre États, de migrations forcées, les États membres se sont préoccupés des droits des minorités mais avec engagement de ne pas aider les mouvements séparatistes, ou des droits des nationaux dans les États voisins, spécialement des Russes qui ont essaimé sur tout le territoire de l'ex-Union, ou des Caucasiens en Russie, eux aussi, vus avec suspicion.

En politique extérieure la coordination n'a donné que de faibles résultats. Au plan militaire la disparition de l'armée rouge laisse des forces importantes en Russie et faibles dans les autres États pourtant engagés, parfois, en des conflits entre eux ou luttant contre des mouvements séparatistes. Malgré cette situation la sécurité collective, prônée par la Russie, n'a pas engendré de structures efficaces et, à la fin des années 90, la moitié des États s'en détournent.

L'U.R.S.S. constituait un espace économique intégré où la république de Russie était globalement créditrice dans ses échanges avec les autres républiques ; certaines de celles-ci étant notamment dépendantes de la Russie pour l'énergie. Afin de remédier aux conséquences de la disparition de ce marché commun comme aux difficultés nées de la mutation des économies un traité a été conclu en 1993 par tous membres de la CEI tendant à l'intégration économique sur la base d'un marché commun des marchandises, de la main d'œuvre et des services, d'une union douanière et, à terme, d'une union monétaire. Mais les divergences d'intérêts et de puissance économique n'ont pas permis la réalisation de cette zone de libre-échange. En revanche des intégrations régionales douanière ou économique, ont été réalisées.

La CEI, dix années après sa création, n'a pu constituer une organisation politique et économique efficace pour l'aire correspondant à l'ancienne U.R.S.S.. Mais la Russie a pu renouer des liens forts avec plusieurs anciennes républiques sœurs. C'est d'abord le cas avec la Biélorussie où, après de nombreux accords bilatéraux, un traité créant l'Union russo-biélorusse est conclu en 1999 censée déboucher à terme sur la création d'un État confédéral. L'Ukraine, en second lieu, le plus important des États de l'ex-U.R.S.S. après la Russie, après avoir cherché à équilibrer ses rapports avec l'ancienne puissance tutélaire par des relations développées avec le monde occidental s'est vue contrainte, surtout après l'accession au pouvoir de W. Poutine, de se rapprocher de Moscou qui, dans le même temps, désigne comme ambassadeur à Kiev V. Tchernomyrdine longtemps chef de gouvernement sous B. Eltsine. La Moldavie pour sa part, à la suite des élections législatives et présidentielle de 2001, favorables aux communistes, envisage son entrée dans l'Union russo-biélorusse. À l'inverse, cependant, les rapports de la Russie avec d'anciennes républiques de l'U.R.S.S. peuvent être exécrables : la Géorgie accusée de laisser séjourner sur son territoire des rebelles tchétchènes est menacée, en 2002, d'une intervention armée des forces russes.

II – Les régimes politiques des États de la CEI

Avec leur indépendance, les États membres de la CEI, comme la Russie, renoncent au socialisme. Cela est vrai dans l'économie qui évolue vers le capitalisme de manière variable dans le temps et en ampleur en offrant d'ailleurs à ceux qui détiennent les leviers de commande des possibilités d'enrichissement considérable. Cela est vrai également au plan politique où le monopole du parti communiste est aboli et où, théoriquement, le parti communiste (ou celui qui lui succède) devient un parti parmi les autres.

Sortant de l'autoritarisme socialiste, les ex-républiques de l'U.R.S.S. se dotent d'institutions marquées par la suprématie du président de la république. Le régime politique est présidentialiste et dans cette perspective le président élu au suffrage universel direct. Mais ce présidentialisme, mis en œuvre généralement par d'anciens dirigeants du parti communiste local qui, ainsi, conservent le pouvoir, évolue hors de la démocratie ou, à tout le moins, vers un autoritarisme à la marge de la démocratie.

Les Républiques d'Asie centrale : Tadjikistan, Ouzbékistan, Turkménistan, Kazakhstan, Kirghizstan ne respectent que formellement les principes démocratiques. Le président de la République, objet parfois comme au Turkménistan d'un culte de la personnalité envahissant, est élu et réélu à des majorités frisant l'unanimité. En Ouzbékistan, en 1999, le président I. Karimov est réélu avec 91,90 % des suffrages dans un scrutin où 93 % des électeurs se prononcent, alors même que son « adversaire » avait fait savoir qu'il voterait pour le président en exercice ! Au Tadjikistan, État éprouvé par une longue guerre civile, le président I. Rakhomonov réalise, en 1999, une performance encore plus brillante en recueillant 96,99 % des suffrages avec 98,91 % de participation. Au Kazakhstan, le président N. Nazarbaev organise trois ans avant le terme de son mandat une élection présidentielle qu'il remporte avec 81 % des suffrages mais sans que son adversaire le plus dangereux ait pu faire acte de candidature. Au Kirghizstan, État le moins dictatorial de la région, le président A. Akaev obtient en 2000 un troisième mandat avec 74,3 % des suffrages. Encore faut-il remarquer que ces succès sont obtenus sans préjudice, parfois, de prolongation de mandat présidentiel par référendum écartant ainsi toute concurrence. Ainsi en est-il en Ouzbékistan en 1995, à nouveau en 2002, au Kazakhstan en 1995, au Turkménistan où au cours de cette prolongation de mandat, acquise par 99,9 % des suffrages, le président se voit reconnaître la compétence de fixer lui-même la fin de son mandat... En ces États les élections législatives disputées (au Turkménistan cependant, en 1994, une liste unique est présente qui remporte naturellement tous les sièges) tournent en faveur du parti présidentiel qui remporte presque toujours une majorité parlementaire imposante. Ces élections, comme les présidentielles sont l'occasion d'irrégularités et de fraudes qui exceptionnellement ne parviennent pas à la fin recherchée. Ainsi au Kazakhstan, en 1999, le président perd la majorité au Majlis.

L'absence de démocratie se retrouve en Azerbaïdjan où les élections ne sont que des « farces » avec interdiction de partis d'opposition et irrégularités diverses. En 1993, le seul candidat G. Aliev devient président avec plus de 90 % des suffrages, est réélu, en 1998, avec 79 % des voix et son parti obtient 70 % des suffrages aux élections législatives de 2000. Il envisagerait que son fils lui succède. En Biélorussie, où le peuple, paraît-il, lui demandait de lui « donner une dictature » le président a répondu à cette aspiration. Élu, en 1994, au nom de la lutte contre la corruption, A. Loukachenko, malgré les résistances, s'est fait attribuer les pleins pouvoirs par référendum, prolonger son mandat et finalement fait réélire par 78 % des votants en 2001. La Biélorussie, où la liberté d'expression est disparue, comme d'ailleurs plusieurs opposants, peut entrer dans le XXIe siècle avec le dernier dictateur européen.

La situation politique des autres États : Géorgie, Arménie, Ukraine est moins éloignée de la référence affichée pour la démocratie. La Géorgie doit recourir à des méthodes vigoureuses pour combattre des séparatistes et leurs milices. L'Arménie, où les élections ont des résultats toujours plus ou moins gravement contestés, souffre d'une violence politique qui culmine, en 1999, avec l'assassinat, en pleine séance du parlement, du Premier ministre et de cinq autres hauts responsables politiques. L'Ukraine, qui connaît, en 1994, une alternance régulière, pâtit depuis les dernières années du XXe siècle d'une dérive autoritaire. Le président L. Koutchma, réélu en 1999, accusé d'être le commanditaire de l'assassinat d'un journaliste et plus généralement d'intimidation à l'égard de journalistes et parlementaires d'opposition suscite l'hostilité d'une fraction toujours plus importante de l'opinion qui manifeste contre lui.

La Moldavie, enfin, où l'alternance à la présidence de la République s'est réalisée en 1996, tire son originalité d'un régime politique devenu parlementaire en 2001. Aux élections qui suivent le « parti des communistes de Moldavie » (ici sans aucun travestissement nominal) remporte régulièrement la majorité des voix et plus des deux tiers des sièges et dans la foulée les députés élisent à la présidence leur chef V. Voronine. Le pays, très divisé entre des populations roumanophone et russophone, connaît une situation difficile.

<hr>

Section II
La succession des régimes socialistes européens

Depuis le milieu du siècle le système socialiste paraissait irréversible. Le monde meilleur qu'il entendait établir le faisait considérer comme définitif. La fermeté armée avec laquelle l'U.R.S.S. s'opposait à toute évolution dans les pays placés sous son influence paraissait interdire tout retour en arrière vers le libéralisme. Les événements européens de la fin de la décennie 80 constituent dès lors un phénomène totalement inattendu d'autant que, par ailleurs, le changement de régime a pu s'effectuer sans violence. Sur le modèle de la « révolution de velours » tchécoslovaque, le socialisme a pu disparaître, dans la plupart des États, sans que le sang coule.

La disparition du régime politique socialiste est en elle-même bouleversante. Après des décennies d'autorité implacable l'essai de la liberté est tenté. Mais la novation ne se limite pas à la sphère du politique ; elle se produit également au plan du système économique et social où le capitalisme réapparaît.

En certains États, la violence du choc constitué par la suppression du système socialiste est telle que, comme en U.R.S.S., l'État lui-même disparaît. C'est, en premier lieu, le cas dans l'hypothèse particulière de la République démocratique allemande. Cet État n'existait en effet qu'artificiellement, du fait de la division en deux États de la nation allemande à la suite de la deuxième guerre mondiale et de l'apparition de la guerre froide entre l'Est socialiste et l'Ouest capitaliste. Sa disparition résulte de l'absorption de son territoire et de sa population par la République fédérale allemande. La réunification de l'Allemagne, que nul n'aurait osé prévoir quelques mois plus tôt, a été réalisée le 3 octobre 1990.

C'est en second lieu, le cas de la Yougoslavie. Celle-ci, adepte d'un socialisme original fondé sur l'autogestion et indépendante de l'U.R.S.S. dès 1948, est un État fédéral aux nationalités très opposées dont l'unité est maintenue jusqu'en 1980 par la poigne de son chef, le maréchal Tito. Après cette date, l'État fédéral s'affaiblit et perd son principal support, en 1990, lorsque la Ligue des communistes disparaît au profit de partis propres à chacune des républiques. Dès lors, la Slovénie et la Croatie affirment leur indépendance, laquelle contestée par l'armée fédérale qui épouse la cause serbe engendre la guerre civile qui s'étend ensuite à la

Bosnie-Herzégovine. Au changement de siècle, après de sanglants affrontements entre ethnies et plusieurs interventions étrangères, y compris militaires, l'ancienne Yougoslavie laisse place à cinq États : la Yougoslavie qui la dernière, renonce au socialisme en 2000, et qui, de fait, privée de souveraineté sur le Kosovo est réduite à la Serbie et au Monténégro (en 2002, elle envisage d'ailleurs la dénomination appropriée d'État de « Serbie et Monténégro »), la Slovénie, la Croatie, la Macédoine et la Bosnie.

En troisième lieu, la Tchécoslovaquie, où la Slovaquie ne s'était jamais vraiment intégrée donne, en 1993, pacifiquement naissance, par accord entre ses dirigeants, à deux États : la République Tchèque et la Slovaquie.

A – La disparition du socialisme

Si on laisse de côté l'ancienne Yougoslavie, patchwork de populations qui, dès que le nationalisme supplante l'idéologie socialiste, s'affrontent jusqu'à chercher l'extermination, le changement de régime qui intervient en Europe centrale et orientale s'effectue sans troubles graves. Cela est d'autant plus remarquable que le régime qui disparaît est dictatorial, fortement idéologisé et laisse la place au libéralisme jusqu'alors honni.

En Hongrie, exemple le plus remarquable, le changement de régime s'opère par mutation du régime existant. Pendant plus de trente ans, après la révolte d'octobre-novembre 1956 et l'insurrection mâtée par l'Armée rouge, le pays est gouverné avec souplesse et habileté. Au sein du parti communiste lui-même des projets de réforme politique, économique, sociale sont présentés à partir de 1985 et leurs auteurs réformateurs sont admis à participer à la direction du parti en 1988. Dès lors, le mouvement engagé ne peut plus être maîtrisé. En septembre 1989, la Hongrie autorise le départ vers l'Europe de l'Ouest, des Allemands de l'Est qui affluent et permet ainsi le contournement du mur de Berlin.

En octobre, la Constitution est bouleversée : la République cesse d'être « socialiste et populaire », elle reconnaît les valeurs de la démocratie bourgeoise comme celles du socialisme démocratique, elle substitue le multipartisme au rôle dirigeant du parti communiste. Le changement de régime est ainsi assuré sans manifestations décisives de l'opposition, somme toute de l'intérieur.

Mais si le remplacement du socialisme s'est opéré sans violences, il n'en résulte évidemment pas que les gouvernants en place n'aient pas cherché à se maintenir. En plusieurs États leur résistance a entraîné une phase transitoire de partage de pouvoir. C'est, d'abord, le cas en Pologne qui, au plan idéologique aussi bien que national, n'a jamais admis le système socialiste et s'est à diverses reprises révoltée. À partir de 1980, le pouvoir est contesté par le mouvement parti des grèves ouvrières de Gdansk qui donne naissance à un syndicat libre, « Solidarité » dont le succès est foudroyant. Le régime est si menacé que l'état de guerre est proclamé en décembre 1981 et que l'armée supplante le parti. Aveu d'impuissance le pouvoir est contraint, début 1989, d'accepter une table ronde avec « Solidarité » pour définir l'avenir du pays. Dès lors, le processus du changement de régime est engagé et aboutit avant la fin de l'année. Des élections, tout à fait singulières, libres dans la campagne électorale mais au résultat imposé à la Chambre basse (65 % des sièges garantis au parti communiste, 35 % disputés) tournent en août, malgré une loi électorale fabriquée à l'avantage du pouvoir, à sa débâcle. Tous les sièges disputés sont attribués par les électeurs à « Solidarité » qui doit aider le parti communiste à gagner les sièges qui lui sont garantis ! La direction du pays est partagée entre le général Jaruzelski, chef de l'État, et le gouvernement dirigé par un opposant mais où les ministres de l'Intérieur et de la Défense restent des communistes. Le changement de régime est consommé le 29 décembre 1989 quand le parlement, malgré sa composition à la Diète, décide que la Pologne cesse d'être un « État socialiste et populaire » et abolit le rôle dirigeant du parti communiste.

C'est également le cas en Bulgarie. Celle-ci est, en 1989, dirigée, d'une poigne de fer, par T. Jivkov. En novembre 1989, le bureau politique du parti élimine son vieux dirigeant dans l'espoir de calmer la population. Le rôle dirigeant du parti communiste est aboli, la Bulgarie cesse d'être un État socialiste. Après des élections disputées, en 1990, où les ex-communistes obtiennent la majorité des sièges un gouvernement de coalition les incluant est constitué après des mois de grèves et de manifestations. De nouvelles élections, en 1991 et 1992, donnent de peu la victoire aux opposants qui évincent alors les anciens communistes de la direction de l'État.

En Tchécoslovaquie, le parti communiste qui, en 1968, avait lui-même tenté une reforme profonde entraînant l'espoir d'un peuple bientôt écrasé par les chars soviétiques, se mure depuis dans l'hostilité à toute réforme. Dès la fin des années 70 une opposition, dont la figure de proue est V. Havel, connaît l'inflexible répression de toutes ses démonstrations. En 1989 des manifestations, violemment réprimées, expriment l'opposition du peuple qui, pacifiquement, répond par l'organisation de grèves massives. Le pouvoir en place est alors contraint de s'écarter. En décembre 1989, le rôle dirigeant du parti est aboli, l'organisation d'élections décidée et V. Havel prend la direction de l'État tandis que A. Dubcek, l'homme du printemps de Prague, vingt ans plus tôt, devient président de l'Assemblée. En Tchécoslovaquie, le régime a toujours refusé de composer et rejeté toute adaptation. Décidé à résister, il a néanmoins dû renoncer devant la force de l'opposition populaire.

Toute différente, et assez énigmatique, la situation de la Roumanie. Celle-ci, en 1989, est depuis plus de vingt ans dirigée par N. Ceausescu qui exerce un pouvoir sans limites marqué de l'empreinte de la folie lorsqu'il va jusqu'à décider de la destruction de quartiers de Bucarest et de nombreux villages. Après son éviction et son exécution, un Front de salut national prend la direction du pays. Mais cette nouvelle force est constituée d'anciens responsables de l'État, membres du parti communiste. Ces derniers, lors des élections présidentielle et législatives de 1990, obtiennent si facilement la victoire que cela fait douter du changement. Il faudra attendre 1996 et la défaite de I. Iliescu, qui dirige le pays depuis sept ans, pour que le communisme paraisse enfin défait.

B – L'ÉTABLISSEMENT DE LA DÉMOCRATIE

Le passage d'un régime à l'autre, sans résistance communiste armée, est sanctionné par le peuple qui, lors des consultations électorales se prononce pour la démocratie. C'est sans doute pour beaucoup à cette transition pacifique qu'il faut imputer l'absence d'épuration à grande échelle et d'esprit revanchard. Partout il paraît normal d'accepter le parti communiste, éventuellement rebaptisé, comme l'une des forces politiques du champ démocratique. Mieux même, ce parti, mais cette fois après des élections disputées, reviendra rapidement au gouvernement. C'est que le socialisme laisse derrière lui une économie archaïque et peu productive qui va, non sans dommages, subir le choc du passage à l'économie capitaliste. Partout le niveau de vie baisse, les conditions de vie se détériorent. Malgré la liberté, le désenchantement s'empare des esprits suscitant la nostalgie de l'ancien régime et redonnant audience à ceux qui s'y réfèrent. Aussi étonnante qu'elle puisse paraître cette alternance consacre cependant la réussite du régime démocratique.

I – Le multipartisme

Comme il est habituel au sortir d'une dictature le multipartisme est efflorescent. En République démocratique allemande, aux seules élections avant la réunification, en 1990, 24 partis sont en présence et 13 obtiennent une représentation parlementaire. En Tchécoslovaquie, avant la scission de fin 1992, 42 partis sont déclarés et 12 ont une représentation (mais en réalité 6 Tchèques et 6 Slovaques). La tradition d'éparpillement partisan demeure en République tchèque où, lors des élections législatives de 2002, 29 listes sont en présence (24 d'entre elles ne recueillant toutefois ensemble que 12,5 % des voix). En Bulgarie, en 1990, 8 formations ont une représentation mais l'une, l'Union des forces démocratiques regroupe 13 partis. La Pologne connaît la situation la plus extrême. Aux élections à la Diète, en 1990, 29 partis obtiennent une représentation.

Ce multipartisme excessif, au moins au plan parlementaire, devait être contenu. Les lois électorales retenant la représentation proportionnelle, soit à titre unique, soit pour la désignation d'une partie des députés dans le cadre d'un mode de scrutin mixte, engendrent des assemblées qui rendent le pays ingouvernable. La représentation proportionnelle est amendée. Lorsqu'elle devient, en Bulgarie, seul mode de désignation des députés elle est assortie de l'exigence d'un seuil de 4 % des suffrages exprimés pour l'obtention d'une représentation. Le résultat est immédiat : d'une année sur l'autre on passe de 8 partis parlementaires à 3. De même en Pologne, en 1993, le seuil fixé à 5 % des suffrages ramène à 6 le nombre, jusque-là, pléthorique, des partis représentés à la Diète. Mais la représentation proportionnelle a sa logique : nulle part le bipartisme ne peut apparaître.

Le multipartisme, dans les pays concernés, s'exprime en des conditions que l'on peut juger satisfaisantes. Sans doute les moyens financiers des partis sont-ils inégaux, la corruption est-elle fréquente, les moyens de l'État profitent-ils plus aux partis au pouvoir qu'aux autres mais en est-il complètement différemment dans les plus vieilles démocraties ? Les scandales financiers liés à la vie partisane sont assez rares et les fraudes électorales rarement évoquées. La démocratie est généralement servie par des affrontements électoraux équitables. Néanmoins des écarts se produisent. En Roumanie, en 1990-1991, la manipulation de manifestations ouvrières violentes est opérée à des fins politiques. La Slovaquie connaît la dérive autoritaire du chef du gouvernement. V. Méciar, mais si l'atteinte à la démocratie est patente le pluralisme n'est pas aboli et le suffrage universel, en 1998 et 1999, évince celui qui menaçait le régime, avant de l'affaiblir plus encore à l'occasion des élections législatives de 2002.

II – Les rapports entre gouvernants et gouvernés

La démocratie instituée en Europe centrale et orientale est évidemment représentative. Le référendum néanmoins n'est pas exclu. La moitié des pays envisagés y recourt pour l'adoption de la constitution. À l'exception de la République tchèque, les constitutions, selon des procédures variables, le prévoient. Mais le recours au référendum est rare et parfois peu concluant, comme en Slovaquie, où il n'a entraîné qu'une très faible participation.

Même en dehors du référendum le peuple a souvent l'occasion de se prononcer sur les affaires de l'État, surtout si le chef de l'État est élu au suffrage universel direct et si comme cela arrive (Bulgarie : 1997. République tchèque : 1998) les élections sont anticipées ou encore (Pologne : 1993) avancées en conséquence d'une dissolution.

En ces circonstances assez fréquentes le peuple se manifeste de manière variable selon les pays et le moment. Si la Pologne connaît des taux d'abstention élevés : 57 % en 1990, 54 % en 2001 (mais 33 % seulement pour l'élection présidentielle de 1995) les autres pays peuvent s'enorgueillir de participations parfois considérables : Bulgarie : 86 % en 1991 et 66 % encore en 2001. Roumanie : 75 % en 1992. République tchèque : 75 % en 1996. Hongrie : 66 % en 1994, 73 % en 2002.

Quelles que soient les difficultés de leur existence les citoyens ne perdent pas confiance en l'efficacité du pouvoir politique. Mais s'ils s'expriment c'est le plus souvent pour sanctionner ceux qui viennent de gouverner. L'alternance est de rigueur. Elle se manifeste en Pologne depuis 1997 où la nouvelle majorité doit s'écarter en 2001 au profit de l'ancienne, en Roumanie de la même manière en 1996 et 2000, en Hongrie encore et toujours en 2002… L'alternance la plus constante se produit en Bulgarie. Elle est régulière aux législatives de 1991, 1994, 1997, 2001 entre socialistes et anciens opposants qui cèdent leur place, en 2001, au mouvement animé par l'ancien roi Siméon II. Elle se produit également aux élections présidentielles où si la majorité parlementaire du moment est socialiste le président élu est de droite comme en 1996 et inversement en 1998. Il serait difficile d'imaginer plus d'intransigeance d'autant que la sanction joue parfois même au sein d'une tendance politique : en 1996 le président de la République sortant est éliminé dans une élection primaire qui mobilise la moitié de l'électorat de cette tendance.

L'alternance, enfin, s'opère avec une brutalité assez surprenante. En Pologne, en 2001, les deux partis qui gouvernaient, ensemble depuis 1997 disparaissent de la Diète faute de parvenir au seuil de représentation. En Roumanie, en 2000, les trois partis qui viennent de gouverner s'effondrent et le parti du chef de gouvernement n'a plus de représentation. En Bulgarie, en 2001, les deux forces qui gouvernent alternativement le pays depuis 1989 recueillent ensemble 35 % des suffrages. En Hongrie, en 1994, les trois formations qui viennent de gouverner le pays pendant quatre ans n'obtiennent ensemble qu'un peu plus de 20 % des voix.

L'extrême vigueur du « swing » entre les partis témoigne évidemment du mécontentement persistant de peuples qui souffrent dans leurs conditions de vie et n'éprouvent, en politique, que déceptions successives. Ces peuples sont alors sans pitié dans leurs arbitrages. Cela leur est d'ailleurs possible car les rapports entre gouvernants distinguent assez clairement majorité et opposition.

III – Les rapports entre gouvernants

Les nouvelles démocraties d'Europe centrale et orientale se dotent d'institutions neuves. Elles le font par adoption rapide d'une constitution : en 1991, pour la Bulgarie et la Roumanie, en 1992, pour la Slovaquie et la République tchèque ou à l'inverse par profonde modification des textes anciens en Hongrie (le seul article constitutionnel resté intact est celui qui désigne Budapest comme capitale de l'État) ou en Pologne qui n'adopte une nouvelle constitution qu'en 1997.

Ces textes constitutionnels retiennent le régime parlementaire. Selon des modalités qui naturellement varient la responsabilité du gouvernement devant le parlement est établie, assortie de la possibilité de dissolution de l'assemblée parlementaire. Le régime parlementaire est, dans certains des États considérés, affecté d'une originalité qui aurait pu en altérer fortement sa logique. En Bulgarie, Roumanie, Pologne, Slovaquie (depuis 1999) le président de la République est, en effet, élu au suffrage universel direct et parfois, comme en Bulgarie, dont la constitution est fortement inspirée de la constitution française de 1958, doté de pouvoirs personnels importants. De fait une certaine concurrence a opposé fréquemment président et chef du gouvernement par exemple, en Bulgarie entre le président Jelev et plusieurs chefs de gouvernement pouvant même être de sa tendance politique, en Slovaquie où, entre 1995 et 1998, une guérilla oppose les deux chefs de l'exécutif, en Pologne lorsque L. Walesa s'efforce de faire pencher la balance en faveur du président, même en République tchèque où V. Havel, pourtant élu par le parlement, se mêle, avec vigueur à l'affrontement politique… Mais l'évolution constitutionnelle a joué en faveur du chef du gouvernement. Cela est particulièrement net en Pologne où la Constitution de

1997 enregistre la défaite du président de la République dans sa prétention au gouvernement du pays.

Dans ces régimes parlementaires le parlement, (monocaméral en Bulgarie, Slovaquie, Hongrie-bicaméral en Roumanie, République tchèque, Pologne) exerce le pouvoir législatif et selon des modalités variables, accorde confiance et inflige censure au gouvernement. Mais là où la loi électorale est de représentation proportionnelle le multipartisme ne peut être que florissant. On ne peut, dès lors, s'attendre à rencontrer en Europe centrale et orientale des répliques du système de Westminster. Mais en cette aire géographique les régimes politiques ne tombent pas non plus dans les vices du parlementarisme à la française ou à l'italienne.

Qu'un parti recueille la majorité absolue des sièges au parlement est exceptionnel. Lorsque cela se produit, en Bulgarie, en 1994, le parti socialiste (ex-communiste) gouverne seul, d'ailleurs sans résultats probants puisque le chef du gouvernement, à raison des divisions permanentes au sein de son parti, doit démissionner deux ans plus tard. À l'inverse, en Hongrie, en 1994, alors qu'il a la majorité le parti socialiste (ex-communiste réformateur) constitue, heureuse surprise pour la paix civile, un gouvernement avec le parti des anciens dissidents de l'époque socialiste. Très généralement le gouvernement est de coalition, configuration qui plus que d'autres est exposée aux dissensions et à la paralysie voire à la désintégration. Mais les échecs flagrants sont assez rares comme en République tchèque en 1997 où le gouvernement déchiré entre ses composantes démissionne, ou en Roumanie, en 1998, où quinze mois après les élections législatives la défection d'un parti condamne le gouvernement quadripartite. L'instabilité ministérielle, plus marquée en Slovaquie et en Pologne, n'est pas générale et ne donne pas lieu à des revirements politiques remettant en cause les engagements pris.

Les États d'Europe centrale et orientale, dans leur projet démocratique, se sont donnés également comme objectif l'établissement d'un état de droit. Dès lors ils ont institué des cours constitutionnelles aux compétences inégales, intervenant dans l'interprétation de la constitution, le contrôle de constitutionnalité des actes juridiques, le contentieux électoral, la constitutionnalité des partis politiques...

LES RÉGIMES POLITIQUES
DES ÉTATS DU TIERS-MONDE

À l'inverse des régimes politiques libéraux ou socialistes, ceux du tiers-monde ne reposent pas sur une conception particulière du pouvoir politique et de la liberté. Aucune homogénéité n'existe entre eux à ce plan. Au cours des dernières décennies, les États du tiers-monde se sont fréquemment référés aux conceptions libérale ou socialiste du pouvoir. Mais la référence était très largement artificielle. Le régime, officiellement démocratique, ne l'était qu'en apparence : au-delà du recours aux procédures électives, le pouvoir était confisqué par une oligarchie ou un homme. La référence au marxisme, en d'autres États, n'était pas moins factice ; elle se justifiait par une volonté d'encadrement social et dissimulait, elle aussi, une confiscation du pouvoir. Que cette profession de foi marxiste ait été feinte est, d'ailleurs, bien apparu lorsque des dirigeants africains ont dénoncé et abandonné le marxisme tout en prétendant continuer à exercer le pouvoir.

En fait, les États du tiers-monde, sauf exceptions, ont connu une longue période de gouvernement autoritaire masqué par l'invocation de doctrines de liberté ou, à l'inverse, très officiellement justifié. En ce dernier cas, le sous-développement économique et le défaut d'intégration nationale ont servi à fonder la nécessité d'une direction autoritaire du pays qui a

été d'autant mieux supportée que les conceptions philosophiques ou religieuses n'étaient en rien individualistes mais,
au contraire, favorables à la prévalence des intérêts du
groupe. Le régime autoritaire, cependant, a donné des résultats si désastreux qu'il a été fortement contesté sur tous les
continents. D'Alger à Caracas, des émeutes de la faim ont eu
lieu… La revendication de liberté s'est exprimée de Rangoun
à Abidjan et de Pékin à Brasilia… Depuis la fin des années 70,
elle a même fortement ébranlé le régime autoritaire dont le
recul est indéniable.

Chapitre I

La situation des États du tiers-monde

Les pays en développement ont adopté la forme particulière de structure politique expérimentée en Europe occidentale depuis le XVIᵉ siècle qu'est l'État. Pour certains d'entre eux, le choix de cette structure politique ne se posait pas ; formellement au moins, des pays comme la Turquie, l'Iran, la Thaïlande sont, eux aussi, des États depuis des siècles. Mais lorsqu'après la Seconde Guerre mondiale, les anciennes colonies accèdent à l'indépendance, elles choisissent de se constituer en États. En vérité, elles n'avaient guère le choix. Pour être admis dans le concert international, il est nécessaire de se proclamer État. Malgré son appellation, l'Organisation des Nations unies est une assemblée d'États. Les pays développés, ici comme ailleurs, imposent leurs valeurs.

Au sein même des pays du tiers-monde, l'État est perçu comme indispensable. Les puissances coloniales ont mis en place, en certains cas au moins, des structures étatiques auxquelles on ne peut aisément renoncer. Par ailleurs, celles-ci paraissent préférables aux structures traditionnelles jugées archaïques et sont considérées comme indispensables à la modernisation. L'État confère ainsi la légitimité aux nouveaux dirigeants. Mais, plaqué sur une réalité sociale qui ne l'appelait pas obligatoirement, il a peu de chance d'être la formule appropriée.

Section i
Le sous-développement économique

Les inégalités entre les hommes des différents pays de la planète atteignent des proportions extraordinaires jamais rencontrées dans le passé. Le gaspillage de chaque individu des pays riches suffirait à nourrir plusieurs hommes des pays pauvres. En France, sur soixante-trois kilogrammes de pain achetés chaque année par habitant, neuf sont jetés à la poubelle… Mais ces pays ne sont pas seulement démunis ; ils se trouvent en outre dans une situation d'exploitation, dans celle de pays « prolétaires ».

A – Des pays pauvres

Au changement de siècle, sur une production mondiale annuelle de 30 000 milliards de dollars, 24 000 milliards sont le fait des pays développés : 20 % de la population mondiale disposent ainsi de 80 % des produits de la planète. De manière, en raison, parfaitement inimaginable, les 225 plus grosses fortunes du monde représentent l'équivalent du revenu annuel des 47 % d'individus les plus pauvres de la population mondiale soit 2,5 milliards de personnes (Programme des Nations unies pour le développement).

Très préoccupant est le fait que l'écart entre pays riches et pauvres, loin de se réduire, s'accroît. Les pays les moins avancés (PMA), soit les plus pauvres, étaient, selon les critères retenus, 27 en 1971. Ils sont 49 en l'an 2000, dont 34 en Afrique. Pour une population d'environ le dixième de la population mondiale ils disposent de moins du centième du revenu mondial. En ces pays le revenu moyen par habitant à baissé au cours des trente dernières années. Au cours de la dernière décennie du XXe siècle on est passé de 250 millions à 300 millions de personnes vivant avec moins d'un dollar par jour en Afrique subsaharienne.

La situation de pauvreté de nombreux États appelait l'intervention des pays riches, spécialement par attribution d'une aide au développement. Cette aide est très insuffisante. Alors qu'engagement avait été pris de porter l'aide publique des pays riches à 0,70 % de leur PNB en 1980, elle n'était à cette date que de 0,34 % de leur PNB ; vingt ans plus tard elle a encore baissé à 0,22 %. Si certains États d'Europe du Nord (Danemark, Pays-Bas, Suède, Norvège) affectent à l'aide publique autour d'1 % de leur PNB, le Japon a régressé à 0,35 %, l'Allemagne à 0,26 %, le Royaume-Uni à 0,23 %, les États-Unis à 0,10 %. La France, non comptée l'aide aux départements et territoires d'outre-mer, n'accorde plus que 0,32 % de son PNB. L'affaissement de l'aide publique a en pour effet de mettre en valeur l'aide par capitaux privés qui, en 1999, dépasse largement la première. Mais cet apport de capitaux revêt, le plus souvent, la forme d'investissements dans des entreprises privées et seulement en des pays dits « émergents », donc déjà sortis du fond de l'ornière. Par ailleurs, malgré la « mondialisation » de l'économie, l'existence de barrières douanières et d'entraves diverses aux exportations des pays pauvres leur coûte des sommes importantes et freine leur développement. L'engagement pris par l'Union européenne, en 2000, d'accueillir sans entrave les exportations des PMA devrait être tenu et généralisé pour épauler ces pays dans leur développement.

Il est néanmoins évident que l'aide, même fortement accrue, ne serait pas à elle seule gage de développement. Bien des causes internes aux États (dépenses militaires excessives, politiques erronées, corruption,...) font obstacle au progrès économique. Certains États cependant, minuscules ou d'importance considérable, ont réussi à « décoller » économiquement. C'est le cas de Singapour, de Hong Kong (qui, avant 1999, exporte autant que tous les États d'Afrique réunis), de Taïwan, de la Corée du Sud, surtout du Brésil et de l'Inde. Ce développement, même s'il paraît menacer certaines productions des pays riches, témoigne de l'absence de fatalité de la misère et, comme tel, mérite d'être pris comme signe d'espoir.

B – Des pays prolétaires

Le titre d'un ouvrage *Les Nations prolétaires*, dont l'auteur, P. Moussa, fût P.-D.G. d'une grande banque d'affaires, indique bien que la pauvreté n'est pas la seule donnée essentielle des pays en développement. Elle s'accompagne en effet d'une subordination à l'égard des puissances capitalistes développées. Sans prétendre présenter une analyse économique de cette subordination des pays en développement, on peut néanmoins relever plusieurs domaines où elle se manifeste.

L'absence de maîtrise des pays du tiers-monde s'exprime, d'abord, au plan de leur développement agricole. Alors que plus des deux tiers de la population est affectée à l'agriculture, la pénurie alimentaire est fréquente. Sans doute cela est-il dû au retard technique et à celui de la formation mais aussi, surtout, à l'affectation des meilleures terres et des matériels les plus performants aux cultures d'exportation : café, cacao, fruits exotiques… qui assurent des rentrées en devises. Cela est dû, également, à l'exportation de céréales destinées à l'alimentation du bétail des pays riches. « La terre du pauvre nourrit la vache du riche » (R. Dumont), alors que sept calories végétales sont nécessaires à la production d'une calorie animale. Le développement agricole peut être, enfin, interdit par l'importation de produits fortement subventionnés des agricultures européennes ou américaines qui, de ce fait, peuvent être vendus à des prix plus bas que les prix de revient locaux.

L'absence de maintien du développement industriel est, en second lieu, tout aussi marquée. Les industries dominantes sont les industries extractives dont le développement est fonction des besoins en énergie et en minerais divers du monde développé. Des sociétés, dites multinationales, dominent ce secteur comme celui, moins développé, des industries manufacturées.

C'est, enfin, tout le commerce extérieur qui est commandé par les pays développés. Au début des années 80, les échanges des pays du tiers-monde avec les pays développés représentent trois quarts des échanges extérieurs du tiers-monde. Ces mêmes échanges ne représentent qu'un cinquième du commerce extérieur des pays développés, ainsi beaucoup moins vulnérables. La moitié des exportations du tiers-monde constituent des échanges entre société-mère et filiales dans le cadre des multinationales qui ont la maîtrise des opérations, de leur opportunité, de leur valeur. Dans ce contexte, du fait de la dégradation des termes de l'échange, les pays du tiers-monde sont perdants. L'exportation doit toujours être accrue pour obtenir une importation inchangée.

La situation économique des pays du tiers-monde n'est donc pas comparable à celle des pays actuellement développés qui, dans le passé, pouvaient être démunis mais disposaient de leur liberté d'action et, par là même, maîtrisaient leur développement.

SECTION II

L'IMPERFECTION DU DÉVELOPPEMENT POLITIQUE

Sans sombrer dans l'ethnocentrisme et juger de la réalité politique des pays du tiers-monde seulement par référence à la construction étatique occidentale, il faut convenir que, au moins par rapport au système retenu, ces pays connaissent une situation insatisfaisante.

A – DES ÉTATS ARTIFICIELS

Nombreux sont les États du tiers-monde à ne devoir leur consistance territoriale, et donc humaine, qu'à la volonté des grandes puissances coloniales européennes. Le continent africain est ainsi découpé en États dont les frontières ont été taillées, parfois au cordeau, lors des arbitrages entre puissances coloniales rivales. En pareil cas, la structure étatique centralisée ne bénéficie pas des conditions nécessaires à son épanouissement.

I – L'absence de nation

Les États d'Amérique latine, indépendants depuis presque deux siècles, reposent généralement sur le socle d'une nation née du métissage de populations de diverses origines et forgée par de fréquents conflits de voisinage. En Afrique la situation est bien différente. « La colonisation nous a laissé en héritage des États et non des nations... Nous avons 60 tribus. Heureusement, nous avons pour nous unir l'usage en commun du français... » Ces propos de F. Houphouet-Boigny relatifs à son pays, la Côte-d'Ivoire, traduisent une réalité fréquente. Les conflits ethniques et les guerres civiles en sont l'illustration tragique au Zaïre, au Nigeria, en Éthiopie, en Somalie... Trente ans d'affrontements armés au Tchad ne font que rendre compte d'une réalité marquée par une population de cinq millions d'habitants installée sur un territoire deux fois grand comme celui de la France, parlant 125 langues et professant quatre religions... En de nombreux cas, la population n'est que rassemblement de groupes ethniques dépourvu d'unité. L'affrontement toujours possible peut se déchaîner en massacres, comme dans les années 90, entre hutus et tutsis au Rwanda et au Burundi. Le clivage religieux expose certains États à des troubles, parfois sanglants : ainsi des affrontements mettent aux prises périodiquement chrétiens et musulmans au Nigeria, au Soudan, en Indonésie, aux Philippines, au Pakistan...

Avec le temps, la nation peut-elle apparaître ? Certains le contestent considérant que la « proto-nation », soit la forme rudimentaire actuelle de la nation, ne peut évoluer favorablement (J. Ziegler). La formation sociale présente serait condamnée à se perpétuer à l'identique en raison de la dépossession de son identité par un peuple totalement dépendant dans le cadre des relations internationales du monde contemporain. La population serait alors vouée à ses divisions, l'État à être celui du groupe dominant et, dès lors, largement contesté.

II – L'absence de structures sociales et politiques

L'État se fait admettre normalement par l'arbitrage qu'il impose aux prétentions antagonistes de groupes qui s'opposent en son sein. Lorsque le développement économique est inexistant ou, en tout cas, non mené par des entrepreneurs nationaux, la division en classes sociales n'apparaît pas et le pouvoir politique ne peut s'immiscer dans leur opposition absente et s'y faire reconnaître. Ses agents se constituent en une sorte de « bourgeoisie d'État » qui légitime son existence par l'action publique en faveur du développement mais confisque, à son profit et à celui d'une minorité urbaine, les ressources du pays.

Au plan des structures partisanes, l'absence de forces politiques réelles et nationales constitue une autre faiblesse. Il est frappant de constater que le coup de force le moins impressionnant, réussit malgré l'existence de partis ou d'un parti unique rassemblant parfois toute la population. Les formations politiques apparaissent alors comme n'étant que des apparences ou comme ne correspondant qu'à un groupe ethnique minoritaire.

En pareille situation, l'État paraît hors réalité. Fréquemment, l'État « joue un rôle comparable à une prothèse » (G.P. Tchivounda) mais une prothèse mal supportée en raison de son coût social, spécialement par les populations délaissées des campagnes.

Hors réalité l'État peut, concrètement, au moins provisoirement, s'effacer. En Somalie, après la fin violente de la dictature en 1991, les diverses factions vont se battre sans qu'une organisation centrale puisse s'affirmer avant qu'une « conférence de réconciliation » en 2000 rétablisse une assemblée et un gouvernement de transition. Dans ces mêmes années 90, le Liberia est lui aussi livré aux factions et à leurs affrontements sanglants. Il n'en sortira qu'après sept années de guerre interne et à la suite de multiples efforts diplomatiques et d'interposition de ses voisins permettant de rétablir un pouvoir. De même en Amérique latine, où les États ont pu généralement résister aux entreprises de désagrégation, la Colombie, à l'aube du XXIe siècle, ne connaît pas la souveraineté ordinaire de l'État. En ce pays s'affrontent en combats sanglants, attentats, enlèvements, assassinats… deux groupes d'extrême gauche, des milices paramilitaires, des trafiquants de drogue, que l'armée et la police ne peuvent maîtriser… Dans sa volonté de parvenir à la paix, le président A. Pastrana a consenti, en 1998 à l'une des guérillas (FARC) une zone démilitarisée, grande comme quatre ou cinq départements français, où l'armée se garderait d'intervenir. Les guérilleros ont naturellement profité du statut provisoire de cette zone pour y exercer les fonctions de souveraineté : maintien de l'ordre public, exercice de la justice… Après l'échec des négociations, le gouvernement, en 2002, reprend la lutte contre les rebelles et un président décidé à rétablir l'autorité de l'État est élu.

B – Des états dépendants

L'attribut essentiel de l'État est sa souveraineté. Même si celle-ci, hors de la (ou des) superpuissance(s), n'est jamais complète, elle est largement inexistante pour de nombreux États du tiers-monde.

La dépendance résulte d'abord du déséquilibre économique. Elle est, ensuite, d'ordre financier. Certains États se trouvent dans la situation de ne pouvoir remplir leurs obligations financières internes les plus courantes, comme le paiement de leurs agents civils et militaires, et doivent solliciter pour ce faire une aide extérieure. D'autres, depuis 1980, se déclarent périodiquement incapables d'assurer le remboursement de la charge de leur dette extérieure. L'endettement des pays en voie de développement qui n'était que de 180 milliards de dollars en 1975 a, depuis, considérablement augmenté pour s'élever, en 2000, à plus de 2 000 milliards de dollars. Selon une étude de l'OCDE, le total des paiements au titre de la dette était, en 1988, de 178 milliards de dollars représentant pour certains pays une part énorme de leurs exportations (de 50 à plus de 100 %). En cette année, le total des aides publiques n'atteignait que 100 milliards de dollars, si bien que le solde net des échanges financiers était largement négatif pour le tiers-monde. Au cours des années 80, devant la gravité de la situation, des abandons de créance ont été consentis pour des dettes publiques et des rééchelonnements de la dette négociés. Cette seconde pratique, apparemment favorable, n'est pas cependant sans inquiéter. L'État, qui obtient des délais successifs de grâce, paie pour une dette qui tend à être perpétuelle et, après avoir remboursé sur une longue période une ou plusieurs fois l'emprunt, se trouve toujours le devoir... Banques privées et États prêteurs doivent trouver des solutions, évidemment délicates, pour sortir de cette situation inextricable. L'abandon de tout ou partie de la dette, au moins des PMA, a été envisagé en de nombreuses réunions internationales. Les décisions exécutées n'ont encore réduit la dette que d'un petit nombre de pays. Fin 2000, onze pays seulement ont bénéficié d'un allégement dans le cadre d'un programme lancé en 1996 et susceptible de concerner 32 pays pour 90 milliards de dollars.

La défense du pays étant par excellence pour l'État fonction de souveraineté rend la dépendance en ce domaine inquiétante. En de nombreux cas, l'armée des pays en développement doit la formation de ses cadres, comme son armement, à l'assistance d'une puissance développée. La France, à l'égal des États-Unis ou de l'U.R.S.S., a tenu ce rôle pour certains États africains de son ancien Empire. Devant l'insuffisance des armées, des accords de défense sont conclus qui entraînent l'intervention de grandes puissances dans des conflits qui n'apparaissent pas toujours autres qu'internes. La France a été ainsi amenée, par exemple, à intervenir au Gabon en 1964, au Zaïre en 1978, en Centrafrique en 1980, au Togo en 1986, au Tchad très fréquemment... Elle dispose à cette fin en Afrique noire de troupes « prépositionnées »... En 1991, il lui a même été demandé d'intervenir au Togo, dans des conflits relatifs au régime politique, par certains des protagonistes mais aussi, au nom de la démocratie, par le président du Sénégal. Dix ans plus tard, son successeur considère, lui aussi, que laisser les différents États africains régler seuls leurs problèmes est une « conception dépassée » et que Nations unies et grandes puissances doivent intervenir pour régler les conflits, arrêter les violences plutôt que de permettre le maintien des dicta-tures en place. Dans l'intervalle de ces dix années, il est vrai, l'ingérence dans les affaires d'un État, si ses gouvernants portent atteinte aux droits de l'homme, a été décidée, en l'es-pèce, en Haïti, où l'O.N.U. en 1994 a autorisé les États-Unis à intervenir pour rétablir le régime civil. À défaut d'ailleurs d'intervention de puissances extérieures au continent, les États africains se sont souvent mêlés des affaires de leurs voisins : Sénégal en Guinée-Bissau, Libye en Centrafrique ou Tchad, Angola au Congo-Brazzaville... Naturellement cette ingérence ne se limite pas toujours au rétablissement de l'ordre chez le voisin. Ainsi la République démocratique du Congo est-elle devenue, sans que ses conflits internes soient réglés, le champ clos de pillages auxquels s'adonnent Zimbabwe, Angola, Namibie, alliés du gouvernement, Rwanda et Ouganda soutiens des rebelles...

La résultante de ces diverses dépendances est naturellement l'absence d'indépendance politique réelle. Longtemps dissimulée, cette sujétion est aujourd'hui reconnue. Évoquant la chute de J.B. Bokassa en Centrafrique, le président Giscard d'Estaing déclarait en 1981 : « Le chef de l'État centrafricain était au pouvoir avant que je n'aie été élu. C'est de mon temps qu'il est parti... c'est moi qui l'ai fait partir... lorsqu'on a eu l'accord des principaux chefs d'États africains et de l'opinion publique africaine pour ne pas imposer de l'extérieur et par une attitude coloniale le départ de ce chef d'État... » Évincé du pouvoir, au Tchad, I. Habré, en 1990, voyait là, non sans raison, « un exemple cru de l'action de puissances hégémoniques opposées à toute indépendance véritable » mais aurait pu se souvenir d'actions semblables qui lui avaient été antérieurement favorables.

Le changement intervenu dans les relations internationales avec l'affaiblissement et la disparition de l'U.R.S.S. réduit encore la marge d'indépendance des États du tiers-monde qui ne peuvent dorénavant échapper effectivement à l'influence occidentale en se rapprochant du monde socialiste. Mais, plus que le nouvel équilibre mondial, ce sont les données de la réalité de ces États qui interdisent, à court terme, leur accession à une autonomie réelle.

Chapitre II

Les régimes politiques pluralistes

Lorsqu'elles accèdent à l'indépendance, les colonies des puissances impériales adoptent le pluralisme politique. Cela est vrai, au début du XIXe siècle en Amérique latine. Cela est confirmé sur les autres continents au milieu du XXe siècle. À cela diverses causes. La colonisation est contestée, au XXe siècle en tout cas, au nom des principes retenus par le colonisateur et qui s'y essaie est logiquement tenu de retenir ces principes lorsqu'il est maître de ses déterminations. La légitimité démocratique est d'ailleurs seule à s'affirmer et chacun doit, au moins officiellement, la révérer. Par ailleurs, lors de l'accession à l'indépendance, la situation politique, fréquemment, est marquée par le pluralisme. Le multipartisme a pu être encouragé par le colonisateur, désireux de diviser pour mieux régner, et peut être très vigoureux. Parfois même, plusieurs mouvements de libération nationale armés ont pu forcer la décision d'indépendance et sont naturellement peu désireux de disparaître.

Retenant la démocratie pluraliste, les nouveaux États ont à résoudre le choix de leur régime politique. Ils le font en se référant aux modèles connus et sans souci marqué d'adaptation à leur réalité. En ces conditions le régime politique, sauf exceptions, paraît rapidement inadapté. Mais cela ne condamne pas définitivement le pluralisme politique qui renaît à partir de la fin des années 70 et se développe au cours des dernières décennies du XXe siècle.

SECTION I
L'INADAPTATION DES MODÈLES CONSTITUTIONNELS LIBÉRAUX

Lorsqu'ils accèdent à l'indépendance, au début du XIXe siècle, les États d'Amérique latine adoptent, à l'instar des États-Unis, le régime présidentiel. Dans la seconde moitié du XXe siècle, les nouveaux États d'Afrique ou d'Asie retiennent eux, spontanément, le régime parlementaire. Ce régime, il est vrai, est celui de l'ex-puissance coloniale : Grande-Bretagne, Pays-Bas, France et fait partie de la culture politique des nouveaux dirigeants qui en certains cas, comme en France, l'ont expérimenté en siégeant au parlement, voire au gouvernement, de l'ancienne métropole. Celle-ci, en outre, est évidemment disposée à encourager le mimétisme constitutionnel.

L'expérience révèle que le transfert de technologie constitutionnelle est au moins aussi délicat que tout autre. L'échec foudroie rapidement, en de nombreux cas, le régime politique nouveau. Mais il est, cependant, quelques exemples de réussite assez remarquables qui expliquent sans doute que les modèles constitutionnels occidentaux constituent encore, actuellement, des références.

A – L'ÉCHEC DES MODÈLES CONSTITUTIONNELS LIBÉRAUX

Les régimes politiques libéraux fondés sur le principe de séparation des pouvoirs sont, évidemment de ce fait, des mécanismes délicats. Les pouvoirs législatif et exécutif cantonnés dans leur sphère de compétence et libres d'y agir doivent néanmoins maîtriser leur autonomie pour éviter la paralysie de l'État. Chaque pouvoir doit être capable de tenir le rôle qui lui est fixé et accepter de ne pas l'outrepasser.

I – L'absence de majorité de gouvernement

À défaut de majorité nette au parlement, les gouvernements d'un régime parlementaire sont condamnés à l'impuissance et voués à une disparition fréquente. Faute d'appui stable, le gouvernement manque d'autorité et l'État est frappé d'immobilisme. Le multipartisme, lorsqu'il s'épanouit, menace ainsi le régime. La Haute-Volta (aujourd'hui Burkina-Faso) connaît lors de son indépendance une brève expérience de régime parlementaire condamnée par les divisions des partis et les affrontements stériles qui s'ensuivent. En Asie, la Birmanie, de 1947 à 1962, subit une situation comparable. L'Indonésie pendant dix années, jusqu'en 1957, connaît, du fait d'un multipartisme sans discipline, une grande instabilité gouvernementale. Les gouvernements se succèdent mais sans jamais pouvoir agir faute de réunir un accord majoritaire sur leurs projets. Naturellement, ce fonctionnement défectueux du régime parlementaire n'est pas propre aux pays du tiers-monde. Il se retrouve souvent aussi dans les pays développés. Mais, dans le tiers-monde, la carence de l'État ne peut longtemps être supportée.

Le régime présidentiel peut, plus facilement que le régime parlementaire se passer de majorité au parlement. Un président est en fonction et peut agir quelle que soit la composition des assemblées. Mais ce pouvoir présidentiel connaît rapidement ses limites si la représentation nationale n'accepte pas de soutenir la politique du chef de l'État ou, pire même, s'y oppose nettement. Nombreux sont les États d'Amérique latine à avoir connu cette situation. Le Chili, dans la décennie qui précède son dernier régime militaire, en est un bon exemple. Les présidents E. Frei et S. Allende, faute de soutien parlementaire n'ont pu réaliser leur programme. La stabilité gouvernementale peut être assurée mais, non assortie d'efficacité, n'offre guère d'intérêt. La même situation se retrouve au Nigeria entre 1979 et 1983 où, faute de majorité parlementaire, le régime perd sa crédibilité et doit laisser place au gouvernement des militaires.

II – La volonté de suprématie gouvernementale

La volonté de suprématie est ressentie universellement par les gouvernements. Qui croit aux vertus d'une politique est évidemment désireux de la réaliser et, pour cela, de dominer l'opposition qui entrave son action.

Passant pour être plus efficace que le régime parlementaire, le régime présidentiel lui est fréquemment substitué. L'Afrique francophone comme anglophone en donne de très nombreux exemples dans les années 60. Ce changement ne fait pas sortir du cadre libéral mais facilite la dérive vers le régime autoritaire.

La déviation « présidentialiste » du régime présidentiel, qui aboutit à la concentration des pouvoirs en faveur du président, se produit sous deux formes. Selon, en premier lieu, une pratique qui fut assez courante en Amérique latine, le régime présidentiel est dénaturé par l'extension des compétences du président. Le parlement, sans réelle volonté autonome, accepte toutes les délégations de pouvoir législatif qui lui sont demandées. Les pouvoirs de crise prévus par la constitution ou ceux de l'état de siège sont exercés en permanence. Les libertés individuelles sont suspendues. Éventuellement le président, s'il n'est plus rééligible, selon les dispositions constitutionnelles, obtient leur modification ou est remplacé par un homme de paille. C'est à cette pratique que s'essaie encore, en avril 1992, au Pérou, le président A. Fujimori lorsque, devant l'opposition parlementaire, il procède à la dissolution des chambres, décrète la suspension des garanties constitutionnelles, décide l'incarcération d'opposants, prive le pouvoir judiciaire de toute indépendance... L'aventure dure huit années. Le temps pour

A. Fujimori de faire adopter une nouvelle constitution, de se faire réélire président en 1995 avec une assemblée à sa convenance, de solliciter (arguties juridiques à l'appui) et obtenir un troisième mandat ; le tout en violant allégrement le droit et en distribuant, en compensation, à une population misérable quelques avantages matériels ; pour terminer, après divers scandales, par une démission qui ne fut refusée que pour permettre une destitution pour « incapacité morale »… Un autre exemple de tels agissements est fourni par les Philippines. Celles-ci obtiennent leur indépendance des États-Unis en 1946 sous réserve d'adopter le régime présidentiel. Ce régime se dégrade, après 1970, en la dictature du président F. Marcos. Par l'instauration de la loi martiale, F. Marcos parvient à se maintenir à la tête de l'État jusqu'en 1987, bien au-delà des deux mandats que la constitution autorise et à y exercer, sous la légitimation factice de référendums où les pressions et la fraude sévissent, un pouvoir dictatorial.

Selon, en second lieu, une pratique retenue, notamment en Afrique, le régime présidentiel évolue vers l'autoritarisme avec l'instauration, de fait ou en droit, du système du parti unique. Tel est le cas par exemple au Gabon, au Cameroun, ou en Côte-d'Ivoire… En Côte-d'Ivoire, la stabilité politique est obtenue avec la Constitution de 1960 qui institue un régime présidentiel assez strict dans le cadre d'un pluripartisme constitutionnellement garanti. Mais en fait, la Côte-d'Ivoire ne connaît qu'un parti, le parti démocratique de la Côte-d'Ivoire, (PDCI) présidé par le chef de l'État, F. Houphouet-Boigny. Le mode de scrutin retenu pour la désignation des députés, le scrutin majoritaire de liste jouant dans le cadre d'une circonscription unique, garantit d'ailleurs l'homogénéité de la représentation parlementaire. Lorsqu'une préoccupation de démocratisation apparaît, dans les années 1980, la loi électorale est modifiée et la pluralité des candidatures admise pour les élections législatives. Des candidats non membres du PDCI peuvent être élus mais deviennent dès lors, automatiquement, membres de ce parti... En 1985, encore, le président Houphouet-Boigny se voit confier un sixième mandat de cinq ans par 100 % des électeurs et 99,98 % des inscrits...

Par un moyen, la manipulation des institutions, ou un autre, la manipulation électorale, tout le pouvoir de l'État revient au président. Le régime politique libéral n'est plus alors qu'apparence et dissimule la dictature.

B – LA RÉUSSITE EXCEPTIONNELLE DES MODÈLES CONSTITUTIONNELS LIBÉRAUX

En quelques pays du tiers-monde, le régime politique, techniquement, fonctionne durablement en des conditions convenables. Sans doute, ces pays connaissent-ils des difficultés dues à leur situation économique, sociale ou à la faiblesse de leur intégration. Mais le régime politique survit sans altération trop marquée.

I – La réussite du régime parlementaire : l'Inde

Le régime parlementaire connaît quelques rares réussites dues d'ailleurs à l'inspiration britannique. L'île Maurice, ancienne colonie de la Couronne, adopte dès son autonomie, en 1959, et conserve après son indépendance, en 1968, un régime parlementaire qui depuis a fait la preuve de son efficacité tout en permettant l'alternance politique. Le Sri Lanka (Ceylan) connaissait, depuis 1946, une situation tout aussi favorable lorsqu'il a été décidé brutalement, en 1978, d'adopter le régime présidentiel.

Mais l'exemple de succès le plus probant est évidemment celui de l'Inde. Second État du monde par sa population de plus d'un milliard d'hommes, l'Inde présente des caractéristiques propres à rendre son gouvernement impossible. Dans un contexte d'affrontement avec ses voisins : Chine et Pakistan, de misère dans ses agglomérations gigantesques, d'innombrables divisions en castes, confessions, groupes sociaux, entités politiques, l'Inde a toujours pu préserver, malgré la violence qui a entraîné l'assassinat de deux premiers ministres, le fonctionnement de son régime politique.

1. Le régime parlementaire

En vertu de sa Constitution du 26 janvier 1950, l'Inde est une République fédérale constituée de 22 États et neuf territoires. Ses institutions reprennent l'ordonnancement du *Westminster system* et consacrent donc un régime parlementaire.

Le parlement est bicaméral, composé d'une Chambre du peuple de plus de 500 membres élus au suffrage direct et d'un Conseil des États qui ne peut en compter plus de 250, désignés par les assemblées des États. Ce bicaméralisme est inégalitaire, favorable à la Chambre du peuple plus influente en matière législative et seule susceptible de mettre en jeu la responsabilité politique du gouvernement.

L'exécutif est dualiste. Le président de la République est désigné, par un collège composé des parlementaires de la fédération et des États membres, pour cinq ans et si, en droit, il dispose du pouvoir exécutif, en fait, ne tient que le rôle traditionnellement effacé du chef de l'État en régime parlementaire. Le cabinet a ses membres, Premier ministre et ministres, désignés par le président de la République, mais en fonction de la composition politique de la Chambre du peuple. Le Premier ministre y détient une autorité prééminente.

Une Cour suprême, composée de 12 juges nommés par le président de la République et bénéficiaires d'un statut propre à leur donner l'indépendance, est garante du régime tant au plan du fédéralisme qu'à celui de la préservation des libertés.

2. Le fonctionnement du régime

Le régime parlementaire indien évolue avec une structure multipartiste. Lors des élections législatives, de très nombreux partis, plusieurs dizaines, présentent des candidats mais le plus fréquemment seulement localement. Souvent puissants dans leur région ces partis sont nombreux à obtenir une représentation, pour chacun très faible, à la Chambre du peuple. De cette représentation fragmentée résulte naturellement la nécessité de constituer un gouvernement de coalition. Du moins en est-il ainsi depuis que le parti longtemps dominant, celui du Congrès, n'obtient plus autour de 40 % des voix que le scrutin majoritaire à un tour convertissait en une majorité de députés à la Chambre.

Pendant presque trente ans, jusqu'en 1977, le parti du Congrès gouverne continûment avec deux chefs de gouvernement seulement, Nehru et sa fille I. Gandhi. À cette date, une première alternance se produit en faveur d'une coalition de quatre partis qui, après une période de confusion, se dissocie en 1980. Aux élections qui suivent la dissolution de la Chambre du peuple, le parti du Congrès, avec 43 % des suffrages, retrouve une confortable majorité des deux tiers des sièges ; majorité qui sera encore accrue aux élections de 1984 qui suivent l'assassinat d'I. Gandhi : 403 sièges sur 513. Le même processus politique se reproduit ensuite. Le parti du Congrès, dirigé par le fils d'Indira R. Gandhi perd la majorité aux élections de 1989. Une nouvelle coalition de cinq partis, sans être majoritaire, gouverne brièvement avant de laisser la place à un gouvernement que le parti du Congrès tolère faute d'accepter de le constituer. Des élections ont lieu en 1991. Elles sont marquées par l'assassinat de R. Gandhi et par la victoire électorale de son parti qui ne remporte toutefois pas la majorité absolue à la Chambre du peuple. Un gouvernement homogène du Congrès, sous la direction de N. Rao, est constitué qui ne doit de survivre pendant toute la législature qu'à l'habileté de son chef et qu'aux craintes des partis de retourner devant les électeurs. En 1996, le Congrès reculant de 36 à 28 % des voix doit renoncer au pouvoir. La première force parlementaire, celle des nationalistes hindous (BJP) n'atteint pas la majorité absolue à la Chambre et le pouvoir échoit à une coalition de gauche que le Congrès, un temps, tolère. Lorsque le Congrès retire son soutien, en 1998, la chambre doit être dissoute. Aux élections qui suivent, tandis que le Congrès stagne et que la gauche s'effondre, le BJP et ses alliés l'emportent mais sans atteindre la majorité absolue. Un an plus tard leur gouvernement est mis en minorité et, à la suite, la chambre dissoute. Cette fois l'alliance de 24 partis obtient largement la majorité absolue. Le chef du BJP, A.B. Valpayee, dispose enfin des moyens de gouverner mais toutefois dans les limites que lui fixent ses nombreux alliés.

En dépit des difficultés persistantes qui, au cours des années 90, paralysent le régime, celui-ci, sur la durée, a fait la preuve de sa force. Plusieurs alternances ont eu lieu et le régime a pu surmonter l'épreuve de l'assassinat de deux premiers ministres. Mais les difficultés rencontrées depuis la fin des années 70 montrent bien que la force du régime est conditionnée par l'existence d'une majorité parlementaire ferme. Jusqu'à la fin du XXᵉ siècle, à chaque fois que le parti du Congrès n'a pu diriger le gouvernement, les coalitions ont révélé leur impuissance et les gouvernements ont été éphémères. I. Gandhi, dans les années 70, était d'ailleurs consciente de l'impuissance gouvernementale que le régime virtuellement recélait et avait cherché à instituer un régime présidentiel. Reste que dans les conditions les plus difficiles, l'Inde a su préserver le multipartisme et les libertés individuelles dont le non-respect (stérilisations forcées, atteintes aux libertés personnelles et de presse, violation de l'indépendance du pouvoir judiciaire…) fut électoralement sanctionné en 1977.

II – La réussite du régime présidentiel : le Venezuela

Comme le régime parlementaire, le régime présidentiel connaît lui aussi quelques rares réussites, en Amérique latine. Tel est le cas du Costa Rica qui réussit à assurer la stabilité des institutions démocratiques malgré de graves difficultés épisodiques.

Tel est, également, pendant les quatre dernières décennies du xxᵉ siècle, le cas du Venezuela. Ce pays qui n'avait connu dans la première moitié du siècle, sauf pendant trois années, que les régimes militaires, a bénéficié d'une vie politique régulière depuis l'application de la Constitution présidentielle de 1961. Le multipartisme, que favorise l'adoption de la représentation proportionnelle pour les élections législatives, laisse cependant émerger deux grands partis, l'Action démocratique, d'inspiration social-démocrate, et le COPEI d'inspiration démocrate-chrétienne, relativement bien organisés. Ainsi lors des élections de 1988, leurs candidats à l'élection présidentielle recueillent ensemble 96 % des voix mais seulement 75 % aux élections législatives laissant place à une représentation parlementaire des autres partis.

Depuis les années 60, l'alternance des deux grands partis à la présidence a été régulière et presque systématique. Mais le président – ce fut le cas de ceux membres du COPEI – ne bénéficie pas toujours de l'appui d'une majorité au parlement. En ces circonstances, le régime ne connaît pas cependant l'affrontement stérile entre pouvoirs, générateur de paralysie pour l'État. Dès la chute de la dictature, en 1958, les partis décident de faciliter, par la « conciliation » en matière politique et sociale, le fonctionnement du régime démocratique et, s'ils se trouvent dans l'opposition, de ne pas entraver l'action du président. Cet engagement des partis politiques a été respecté et a permis le fonctionnement harmonieux du régime.

Mais le succès n'a été qu'institutionnel et par là même fragile. Les ressources naturelles considérables, notamment le pétrole, ont fait l'objet d'un gaspillage insensé. La pauvreté s'est aggravée : plus de la moitié de la population y stagne. La corruption s'est étendue. En ces conditions, le régime politique, malgré sa réussite technique, était vulnérable. En février 1989, une révolte sociale explose à Caracas et en différentes villes et est matée, dans le sang, par l'armée. Certains éléments militaires, en février 1992, tentent un putsch qui n'est réduit qu'après affrontements armés. Emprisonné, le principal responsable de ce putsch raté, H. Chavez devient un « héros » pour la population pauvre. Libéré, il gagne l'élection présidentielle de 1998. En bon leader populiste il sollicite alors le peuple par référendum et élections répétées pour assurer une « révolution bolivarienne ». Au plan des institutions, celle-ci se traduit par un changement de régime. Le Venezuela entre dans le XXIᵉ siècle avec un présidentialisme (assemblée unique aux pouvoirs restreints pouvant être dissoute) que ses grands voisins du sud ont connu au siècle précédent. Mais très vite le président fait l'objet d'une vive contestation de militaires, milieux économiques, syndicats. En avril 2002 un coup d'État, finalement manqué, l'écarte du pouvoir pendant 48 heures. Après cet épisode, l'affrontement, toujours aussi virulent, se poursuit entre partisans et adversaires d'H. Chavez avec grèves et manifestations répétées...

C – LA PERMANENCE DU RECOURS AUX MODÈLES CONSTITUTIONNELS LIBÉRAUX

Depuis la fin des années 70, un regain démocratique se produit dans le tiers-monde. Dans les trois continents qui le constituent, le retour au pluralisme politique se développe progressivement. Il s'accompagne naturellement de la mise en place d'organisations constitutionnelles qui permettent son expression. En ces circonstances, les modèles libéraux sont à nouveau sollicités et leur application ne va pas, en certains cas, sans causer de nouvelles difficultés.

I – Le regain d'intérêt pour le régime parlementaire

Le régime parlementaire apparaissait dans les années 60 comme étant inapproprié, faute d'instituer un exécutif mono-cratique indépendant et stable et d'assurer l'efficacité. Il fut alors, spécialement en Afrique, souvent abandonné.

De ce fait, il est surprenant de le voir réapparaître, comme par exemple en plusieurs États asiatiques. Le Népal, dans le cadre de la libéralisation de sa monarchie le retient en 1980, ici sans surprise, dans la mesure où le régime parlementaire est né en semblable situation. Après des difficultés inhérentes à une telle expérience et de sanglants affrontements, le régime parlementaire est confirmé par la Constitution de 1990. Il connait une très forte instabilité (12 gouvernements en 12 ans). Misère et corruption suscitent une guérilla « maoïste » menaçante pour la monarchie par ailleurs ébran-lée par l'assassinat du roi. De même, après une longue période de régime militaire, le Pakistan revient, en 1988, au régime parlementaire, mais celui-ci ne peut fonctionner normalement. Les Premiers ministres B. Bhutto, à deux reprises en 1990 et 1996, et N. Sharif, en 1993, sont destitués par le président de la République, sous le contrôle discret de l'armée qui s'empare à nouveau du pouvoir en 1999. Au Bangladesh, en 1991, après des élections « démocratiques », pour la première fois depuis l'indépendance, le gouverne-ment obtient de l'assemblée l'adoption à la presque unanimité, d'un amendement réintroduisant le régime parle-mentaire qui depuis, à raison de la vigueur des antagonismes partisans, connaît une vie agitée. En Thaïlande, le régime parlementaire qui régit le pays, après la dernière intervention des militaires en 1992, connaît une succession de gouverne-ments de coalition instables et une répétition d'élections. La sanction, pour une fois dans ce pays, n'est pas la prise de pouvoir par l'armée mais dans l'élection, en 2001, d'un chef populiste dont le parti emporte la majorité à l'assemblée.

De manière plus étonnante, le régime parlementaire a été très sérieusement envisagé au Brésil, en 1988, à l'occasion de la restauration du régime civil et démocratique, mais a finalement été écarté.

II – La réapparition du régime présidentiel

Le retour aux régimes civils démocratiques suscite l'adoption fréquente du régime présidentiel. Celui-ci est retenu dans les différents continents, spécialement en Amérique latine et au Brésil .

1. Le recours fréquent au régime présidentiel

Le premier continent à le redécouvrir est l'Amérique latine au sortir d'une période marquée par la quasi-généralisation du pouvoir militaire. Dans les difficultés les plus graves, désordre économique et financier avec inflation galopante, existence de mouvements terroristes et domination parfois des « cartels » de la drogue, refus des militaires de se plier aux lois civiles… des États comme la Colombie, la Bolivie, réussissent à préserver le régime politique malgré une très large indifférence des populations. D'autres États moins accablés de malheurs, offrent de meilleures chances pour le régime présidentiel. Celui-ci permet un gouvernement normal du pays en Uruguay où, après onze années de régime militaire, la Constitution présidentielle de 1919 est remise en vigueur en 1984. Depuis cette date, l'alternance présidentielle a pu jouer et le président, même sans bénéficier d'une majorité parlementaire, a pu néanmoins gouverner du fait de la modération de l'affrontement politique que l'émergence de forces de gauche peut, dans l'avenir toutefois, radicaliser. Le Chili, qui connaissait la dictature militaire depuis 1973, a pu, au terme d'une interminable transition, renouer en 1989 avec le régime civil et présidentiel. Les élections présidentielles ont vu la victoire du candidat soutenu par une vingtaine de formations politiques hostiles au pouvoir militaire,

P. Alwyn ; laquelle coalition a obtenu la majorité à la Chambre basse, mais non au Sénat où siègent, à côté d'élus, des sénateurs nommés. Les élections présidentielles et législatives ultérieures dans les années 90 ont toujours confirmé ce premier verdict. Mais les présidents E. Frei et R. Lagos, comme leur prédécesseur, malgré leur majorité à la chambre basse n'ont pu, à raison de l'opposition du Sénat, faire prévaloir leur volonté, notamment pour la révision de la Constitution. En Argentine, le régime démocratique est rétabli en 1983 après la déconfiture de l'armée défaite lors de son entreprise aventureuse des Falkland et déconsidérée par le désastre économique comme par les milliers de « disparus ». Les nouveaux dirigeants, pour avoir obtenu la condamnation des chefs militaires et de leurs subordonnés les plus compromis dans ces « disparitions », ont dû affronter plusieurs tentatives de putsch, et de larges mesures de grâce ont dû être prises. Au plan politique, le retour à la démocratie a permis l'alternance des deux grands partis, justicialiste et radical, à la présidence et l'alternance de majorités parlementaires souvent d'appui aux présidents. Depuis 1995 le parti radical et ses alliés de contre-gauche ont remporté plusieurs scrutins, dont le présidentiel de 1999, mais gouvernent difficilement faute d'homogénéité et surtout du fait de la gravité de la situation économique et financière. Fin 2001, celle-ci s'aggrave encore. Alors que le chaos s'instaure, le président démissionne et n'est remplacé que très difficilement par le parlement. En 2002, le régime politique demeure dans l'incertitude faute d'échéances électorales certaines et faute de sens des responsabilités d'une classe politique, par ailleurs, largement corrompue.

Le régime présidentiel réapparaît également en Asie. Les Philippines le réintroduisent, en 1987, lorsqu'est chassé le dictateur F. Marcos, sous une forme très proche du régime des États-Unis. Mais les données politiques ne permettent pas un fonctionnement paisible du régime. Des tentatives de putsch ont marqué les premières années du retour à la démocratie, la démission du président, en 2001, après engagement d'une procédure de destitution à son encontre, a suscité troubles et émeutes. La Corée du Sud, lorsqu'elle renonce à la succession de dictatures militaires sous la pression de larges fractions de sa population, adopte, en 1987, une Constitution présidentielle. Le président élu, représentant du pouvoir antérieurement en place, doit son élection à la division de l'opposition. Celle-ci doit attendre 1997 pour gagner enfin l'élection présidentielle et réaliser l'alternance. Mais le nouveau président, faute de majorité soudée, éprouve des difficultés à gouverner dans un contexte de crise économique et financière grave.

L'Afrique, si l'on excepte le Sénégal, n'entre dans la voie de la démocratie qu'à partir de 1990. Les États africains, spéciale-ment les États francophones, s'orientent vers un régime de type français, semi-présidentiel, beaucoup plus que vers un régime présidentiel pur. Un tel régime, en Zambie, évolue d'ailleurs rapidement vers l'autoritarisme du vainqueur de l'élection présidentielle.

2. *Le Brésil*

Quatrième plus grand pays du monde pour la superficie, le Brésil, avec une population qui représente le tiers de celle de l'Amérique latine, a renoué, dans les années 80, au terme d'une très longue évolution du régime militaire, avec la démocratie. Non sans hésitation, choix a été fait du régime présidentiel pour ordonner la vie de l'État.

Avec l'élection en 1985, par un collège électoral parlementaire pourtant non renouvelé, d'un président de la République opposé aux militaires dont le candidat était totalement déconsidéré, s'ouvre une période de transition. Cette période est marquée, en premier lieu, par la restauration de la démo-cratie (légalisation des partis politiques, attribution du droit de vote aux analphabètes...) dans le cadre d'un système insti-tutionnel provisoire s'apparentant au régime présidentiel et par la décision de faire élire, à l'avenir, le président de la

République au suffrage universel direct. La transition, en second lieu, permet en 1986, la tenue d'élections législatives à l'échelon fédéral comme à celui des États. Au plan fédéral, les parlementaires se trouvent être également constituants dans le cadre d'une Assemblée nationale constituante qui réunit députés et sénateurs. En cette Assemblée, deux années de débats, parfois acharnés, permettent, le 5 octobre 1988 l'adoption d'une Constitution fort ample (d'une étendue huit fois supérieure à celle de la Constitution française de la Ve République). L'élaboration de cette Constitution révèle, en un pays extraordinairement inégalitaire, la vigueur de la lutte pour la définition de l'ordre économique et social nouveau. Elle révèle, également, l'indécision quant à la forme du régime politique présidentiel ou parlementaire à raison de leurs risques respectifs de concentration des pouvoirs en faveur du président et d'impuissance du régime en l'absence prévisible de majorités parlementaires. Après que le régime parlementaire ait été préféré en commission, l'Assemblée constituante s'est finalement déterminée pour le régime présidentiel. Encore est-il prévu, dans les dispositions transitoires, que « le 7 septembre 1993, l'électorat définira, par voie de plébiscite, la forme (république ou monarchie constitutionnelle) et le système de gouvernement (régime parlementaire ou présidentiel) qui doivent régir le pays ». Ainsi, le régime présidentiel était-il « à l'essai » pour cinq années... Essai que les Brésiliens ont jugé concluant puisque, en 1993, ils ont maintenu le régime présidentiel par 57 % des suffrages (25 % pour le régime parlementaire) tout en confirmant la République à plus des deux tiers des suffrages contre 12 % en faveur de la restauration monarchique.

L'organisation constitutionnelle, bien que marquée par le choix initial en faveur du régime parlementaire, est de type présidentiel. Le parlement, comme en tout État fédéral, est bicaméral avec une Chambre des députés dont les membres, représentant la population, sont élus pour quatre ans à la représentation proportionnelle, et un Sénat dont les membres sont élus pour huit ans en chaque État au scrutin majoritaire. Il détient les pouvoirs législatif et constituant. Le pouvoir exécutif est attribué au président de la République « aidé par les ministres d'État » qu'il nomme et démet de leurs fonctions. Le président est élu pour quatre ans (depuis 1997 le mandat est renouvelable) par l'ensemble des électeurs au scrutin majoritaire à deux tours (avec, au second tour, maintien de deux candidats seulement). La séparation des pouvoirs qui exclut la responsabilité politique de l'exécutif et la dissolution des assemblées est néanmoins quelque peu atténuée. Le président détient un droit de veto, un droit d'initiative législative, la possibilité de prendre des mesures provisoires ayant force de loi. À l'inverse, le parlement intervient dans l'exercice de la fonction exécutive par l'approbation que le Sénat doit accorder aux nominations de magistrats et de hauts fonctionnaires mais également à d'assez nombreuses autres décisions, par l'autorisation à la proclamation de l'état de siège, par la présence des présidents des assemblées dans les conseils de la République et de défense qui, à titre consultatif, assistent le président pour la défense du régime et de l'État.

L'application de la nouvelle Constitution connaît des difficultés. L'élection présidentielle de 1989 à laquelle se présentent 21 candidats révèle un grand éparpillement de l'électorat ; les deux candidats arrivés en tête, seuls qualifiés pour le second tour, n'obtiennent respectivement que 28 et 16 % des suffrages. Au second tour, après une campagne électorale très disputée, F. Collor, candidat refusant le clivage droite-gauche et prétendant combattre les privilèges et la corruption, l'emporte, avec 53 % des voix, sur L. Da Silva dit « Lula », syndicaliste animateur des grandes grèves qui ont ébranlé le régime militaire et partisan d'un certain changement social. Après son renouvellement de 1990, la Chambre des députés conserve une représentation largement multipartiste avec 18 partis obtenant des sièges (le plus important ne remportant qu'un cinquième des sièges et sept partis ayant moins de dix sièges sur 503). Le Sénat, de son côté, accueille des élus de 12 partis. Dans ce contexte d'excessif multipartisme, le gouvernement du pays est entravé par l'absence d'appui parlementaire aux projets présidentiels. La personnalité du président est, par ailleurs, rapidement mise en cause. Une procédure de destitution pour corruption engagée contre le président F. Mellor l'amène à démissionner après moins de trois ans de mandat.

Par la suite, le régime connaît un cours plus régulier. En 1994 et 1998 F. Cardoso, leader du centre-droit, l'emporte au 1e tour sur « Lula », candidat naturel de la gauche qui avec 27 et 31 % des voix ne retrouve pas son score du 2e tour de 1989. Avec cette présidence, la vie politique perd ses aspects trop conflictuels d'autant que le chef du gouvernement bénéficie d'un soutien parlementaire. L'apaisement trouve sa conclusion normale, en 2002, dans l'élection de « Lula » à la présidence de la République qui marque, sans heurts immédiats, la première alternance en faveur de la gauche depuis 1964.

III – L'intérêt pour le régime semi-présidentiel

Les pays africains, sauf exception, ne retrouvent la voie de la démocratie qu'à partir de 1990. Certains d'entre eux, sous influence française, paraissent attirés par une organisation constitutionnelle fondée sur le schéma institutionnel de la Ve République. Au chef de l'État élu au suffrage universel direct s'ajoute, au sein de l'exécutif, un Premier ministre.

Un tel système a d'abord été retenu par le Sénégal, très en avance sur ses voisins pour rétablir le pluralisme politique. Dès 1976, le multipartisme est partiellement restauré avant de l'être, sans restrictions, en 1981. Depuis cette date, des élections présidentielles et législatives disputées entre de nombreux candidats et partis se sont répétées. Même si l'ancien parti unique au pouvoir depuis l'indépendance, le parti socialiste, reste dominant en conservant la présidence et une large majorité à l'Assemblée, même si la fraude électorale est dénoncée par l'opposition et si la vie politique est parfois, comme en 1988, très agitée, le Sénégal apparaît dans les années 80 comme l'« oasis de la démocratie » en Afrique. L'apaisement de la vie politique progresse au cours des années 90 jusqu'à permettre à deux reprises l'entrée au gouvernement du principal opposant mais n'interdit pas cependant l'incarcération à trois reprises de ce même opposant... Finalement la démocratie s'affirme lorsque le président sortant, A. Diouf, Premier ministre de 1971 à 1981, puis président de 1981 à 2000 est battu, alors qu'il sollicitait un quatrième mandat, par l'éternel opposant A. Wade. L'alternance se déroule très régulièrement et le nouveau président, dont l'ancien parti gouvernemental encore majoritaire ne cherche pas à entraver l'action, obtient un an plus tard une majorité de trois quarts des sièges à l'assemblée.

Depuis, d'autres pays africains, où la démocratie est encore incertaine, ont adopté la même organisation. La Côte-d'Ivoire, après une période de troubles, organise, fin 1990, des élections présidentielle et législative qui renouvellent pour la sixième fois le mandat du président Houphouet-Boigny, mais cette fois face à un candidat d'opposition (80 % des suffrages exprimés) et lui maintiennent une large majorité parlementaire (162 sièges sur 175). Après sa disparition, son successeur H.C. Bédié parvient à se faire réélire en 1995 et obtient, lui aussi, une très large majorité parlementaire. Mais le pays, modèle de stabilité jusqu'alors, connaît en 1999-2000 un épisode de pouvoir militaire avant de retrouver, non sans troubles graves, son régime civil avec, toutefois, un président élu en des conditions contestables et dont le parti n'a pas la majorité à l'assemblée. Très vite, dès 2002, le pays retombe dans les désordres graves. Des militaires se mutinent et, sur le terreau des divisions ethniques, nord rebelle et sud loyaliste n'échappent à l'affrontement armé que par l'interposition de forces étrangères. Si une année d'antagonisme entre président et assemblée au Bénin, en 1995-1996, a été surmontée sans dommages majeurs – encore que le président ait eu recours aux ordonnances – le régime politique, en d'autres pays, en a gravement souffert. À Madagascar, entre 1993 et 1996, l'instabilité a régné : cinq gouvernements dirigés par trois Premiers ministres se sont succédés avant que le président soit destitué par le Parlement. Au Niger, le président élu en 1993, face à la censure du gouvernement résultant de l'éclatement de la majorité, dissout l'assemblée qui, après élections, se retrouve toujours hostile. Le conflit qui en résulte entre président et Premier ministre paralyse l'exécutif et l'État. Devant la crise l'armée intervient et son chef d'état-major devient chef de l'État.

SECTION II
L'IMPERFECTION DES RÉGIMES PLURALISTES

Pendant longtemps, malgré quelques régimes démocratiques constituant presque des curiosités, le tiers-monde paraissait voué au régime autoritaire. Mais l'échec des dictatures de toutes inspirations a été si spectaculaire et tellement contradictoire avec leur prétention à la rigueur et à l'efficacité que partout la contestation de ce type de régime s'est manifestée. Une nouvelle chance a été, par là même accordée à la démocratie. Mais celle-ci, sans tradition, n'a pas pu être instaurée immédiatement ni surtout, en bien des pays, de manière satisfaisante.

A – L'ÉTABLISSEMENT DU RÉGIME PLURALISTE

Jusqu'à la fin des années 1980, le continent africain, pour s'en tenir à lui, à la notable exception du Sénégal, ne connaît, sous des forces variables, que le régime autoritaire. À peu près nulle part, des forces politiques autres que celle qui dirige l'État ne sont légalement autorisées ; nulle part, une alternance politique n'est imaginable à la suite d'élections. À partir de 1990, un mouvement de revendication en faveur de la démocratie se manifeste, avec plus ou moins de force et de succès, en tous les pays. Mais la démocratie, même si elle a la faveur de l'opinion, ne s'institue pas aussi facilement que le régime militaire. Tant que le pouvoir régnant n'est pas privé du concours de la force armée, dont en certains cas d'ailleurs il n'est que l'expression, il faut compter avec lui. En vérité tout le jeu des gouvernants consiste naturellement, en raison spécialement des divisions de leurs oppositions en multiples factions même rassemblées en Comités d'Action ou Fronts, à instituer le multipartisme et le régime démocratique mais en le contrôlant de manière à rester au pouvoir, si possible avec la légitimité qu'engendre la tenue d'élections disputées.

I – L'artificialité du régime pluraliste

Le multipartisme, décrit comme une « multicochonnerie » (F. Castro) ou comme un « cancer » imposé à l'Afrique subsaharienne (Hassan II) est partout revendiqué et, hors pays socialistes, à peu près partout accordé. L'Ouganda, cependant, fait exception. Le chef rebelle Y. Museveni qui s'empare du pouvoir en 1986 interdit tous les partis et crée le « Mouvement de résistance nationale » (NMR) censé représenter toutes les tendances politiques du pays et auquel tous les citoyens appartiennent. Dix ans plus tard une élection présidentielle est organisée que remporte Y. Museveni opposé cependant à plusieurs candidats ; lequel sera réélu en 2000 face à un autre candidat issu lui aussi du NMR Ce système de parti unique sans le nom a fait l'objet, en 2000 d'une approbation par référendum : 90 % des votants y sont favorables contre 9 % pour le multipartisme !

Très généralement le multipartisme est institué et les constitutions qui l'écartaient sont modifiées en conséquence. Cela est vrai sur tout le continent, que l'ancienne domination coloniale soit française, britannique ou portugaise. Mais cette reconnaissance de la diversité politique paraît bien superficielle là où elle n'est, à l'évidence, que sacrifice à une norme occidentale imposée contre une aide économique et financière. En Centrafrique, celui qui y consent la justifie par le fait que « ceux qui nous prêtent de l'argent… nous ont demandé de créer plusieurs partis, nous devons accepter cela », ou comme au Kenya, après une longue résistance, elle est retenue subitement, après une réunion des bailleurs de fonds du pays qui font savoir, qu'à défaut, toute aide sera interrompue.

L'instauration du pluralisme politique soulève immédiatement plusieurs difficultés sérieuses. Aussitôt accordé, le pluralisme est fréquemment efflorescent. Trente partis apparaissent en Guinée. Dans l'État voisin du Mali, 21 partis, sur les 48 que compte le pays, présentent des candidats aux élections. Pire encore, au Zaïre, 450 partis surgissent, souvent parrainés par des fidèles du dictateur déchu… Cette luxuriance obère l'avenir du régime démocratique. Plus gravement encore les partis épousent les clivages tribaux et le pluralisme joue contre l'unité du pays. La voie est ouverte au « multipartisme armé » générateur de guerres civiles dont le Congo - Brazzaville, entre autres, offre un malheureux exemple dans les dernières années du XXe siècle.

II – Les difficultés d'établissement du régime pluraliste

Lorsque le pouvoir renonce à son exclusivisme passé, à raison de la puissance de l'opposition qu'il suscite, l'acceptation du multipartisme ne règle pas tout. Même si des élections disputées sont envisagées ou fixées, le pouvoir en place est l'objet d'une telle méfiance que les forces d'opposition exigent de définir un cadre politique et constitutionnel provisoire et de contrôler l'action du pouvoir avant les élections.

Le règlement des problèmes institutionnels et électoraux est fréquemment envisagé dans le cadre d'un organisme de concertation. Le Gabon, le Congo, le Niger, le Zaïre réunissent une « Conférence nationale », un « débat national » est

prévu en Centrafrique, un « Forum de réconciliation nationale » au Burkina-Faso. Ailleurs, la revendication d'une telle
conférence mobilise la population comme à Madagascar.
L'organisme provisoire regroupe les représentants des
diverses forces politiques mais s'étend parfois à d'autres
forces comme, par exemple, les Églises. La lutte politique
naturellement s'y poursuit âprement.

Seconde institution caractéristique de la période de transition : le Premier ministre. Même si la Constitution n'envisage
pas l'institution, elle apparaît. L'opposition méfiante à
l'égard de dirigeants qui, partout, cherchent à se maintenir
au pouvoir veut obtenir, par l'intermédiaire d'un de ses
membres un droit de contrôle. L'enjeu est évidemment considérable, spécialement à l'égard des élections où il s'agit
d'éviter la « fabrication » de résultats favorables aux anciens
gouvernants.

Le changement de régime que l'on cherche à réaliser en ces
conditions peut difficilement se passer d'effervescence. La
lutte pour le pouvoir est évidemment plus vive encore en
période charnière qu'en toute autre. Le processus d'évolution
vers la démocratie est souvent remis en cause. Au Togo, le
Premier ministre est amené à suspendre l'application du
« programme de transition » vers la démocratie devant l'attitude du président et de l'armée hostiles à toute évolution. De
manière encore plus nette, l'armée congolaise prétend
démettre de ses fonctions le gouvernement de transition au
profit évident du président resté en fonction, mais privé de
pouvoirs réels. Au Niger l'armée, ou certains de ses éléments,
entrave l'action des instances transitoires…

L'échec peut même intervenir et interdire le changement de
régime. Le Zaïre, (République démocratique du Congo
depuis 1997) après l'autorisation du multipartisme, connaît
de 1991 à 1997 une vie politique extrêmement agitée. Le
président Mobutu, maître du pays depuis 1965, et ses adversaires s'affrontent spécialement sur le choix du Premier

ministre : le pays connaît alors une valse de Premiers ministres nommés, révoqués, remplacés dans un tourbillon d'émeutes, de pillages, de fugitives réconciliations... Le terme sera mis à ces désordres par des rebelles qui, s'assurant du territoire, porteront leur chef L.-D. Kabila à la tête de l'État. Mais de nouvelles rébellions et immixtions d'armées étrangères ne permettent pas la stabilisation du régime.

L'Algérie a vu, également, son évolution politique entravée. Après son indépendance, en 1962, elle se tourne vers un régime « d'orientation socialiste ». Le Front de libération nationale (FLN) est la force politique unique cependant dominée, dès 1965, par l'armée qui place ses chefs à la direction du parti et de l'État.

En 1988, après de violentes émeutes durement réprimées, une évolution politique et constitutionnelle se produit. Une nouvelle constitution est rapidement adoptée par référendum. Elle modifie le régime en vigueur en lui donnant une tonalité libérale (séparation des pouvoirs – contrôle de constitutionnalité des lois...) et en instituant le multipartisme. Celui-ci, tout de suite luxuriant, s'exprime, dès juin 1989, à l'occasion d'élections municipales. Ces élections voient la déroute du FLN (28 % des suffrages) et, surtout, la victoire du Front Islamique du Salut (FIS) (54 % des suffrages lui sont officiellement reconnus) dont la dénomination indique assez l'objectif d'instauration d'une république islamiste où seule la loi de l'Islam a vocation à régenter la vie sociale. Sitôt introduit, le pluralisme politique est menacé par l'exclusivisme d'une force que le peuple algérien soutient pour exprimer son rejet du pouvoir en place, de son inefficacité, de sa corruption...

Après de nouveaux affrontements sanglants, des élections législatives sont organisées en décembre 1991. Dès le premier tour, le FIS avec 48 % des suffrages est à 28 sièges d'une majorité absolue à l'assemblée qui lui est, dès lors, assurée au second tour. Les élections sont alors annulées et un Haut

Comité d'État institué pour exercer les pouvoirs confiés au président de la République. De nouvelles élections n'auront lieu qu'en 1995 et 1997 pour élire président et assemblée alors même qu'un texte constitutionnel, adopté par référendum en 1996, interdit la constitution de partis sur une base religieuse, ce qui a naturellement pour effet de mettre hors jeu politique les islamistes. Ces élections, comme la présidentielle de 1999 où tous les candidats sauf celui du FLN, se retirent en invoquant la fraude, ou les législatives de 2002 qui redonnent au FLN une majorité absolue à l'assemblée mais avec une participation (46 %) la plus faible depuis l'indépendance, n'ont pas permis l'assainissement de la situation. Le terrorisme qui a ravagé le pays depuis 1992, faisant environ 100 000 morts, n'a pu être éradiqué. Le régime politique toujours dominé par les généraux se heurte aux révoltes et a perdu tout prestige. La démocratie paraît inaccessible entre des forces gouvernantes déconsidérées et les islamistes.

B – L'inachèvement des régimes pluralistes

Jouant lors des consultations électorales le pluralisme peut engendrer l'alternance dans les pays en développement comme ailleurs. Il en est ainsi, en 2000, lors des élections présidentielles au Sénégal ou au Ghana ou bien encore en Corée du Sud en 1998 ou à Taïwan en 2000. Cette alternance peut survenir dans une stricte régularité. Au Bénin l'alternance au détriment de l'ancien dictateur sanctionne l'élection présidentielle de 1992 ; l'alternance inverse survient lors de l'élection de 1996 en sa faveur cette fois… En ces années, la lutte politique est parfaitement maîtrisée par la cour constitutionnelle qui invalide certaines décisions gouvernementales ou l'élection de députés pourtant favorables au président du moment. Au-delà des turbulences, en ce pays, l'état de droit se greffe sur le pluralisme. Il en est de même, en 2002, au Mali où la fraude est sanctionnée et l'alternance réalisée…

Mais de tels exemples restent rares. Généralement le pluralisme est admis... mais considéré comme ne devant pas entraîner de conséquences sur l'exercice du pouvoir.

I – Les entraves au pluralisme

Par le choix de ses députés entre les divers candidats le peuple se prononce, mais en 2000, au Kenya, lors d'une telle consultation placée sous contrôle d'observateurs étrangers, le chef du parti jusqu'alors majoritaire avertit que son parti « formera très certainement le prochain gouvernement quelque soit le résultat des élections législatives ». On ne peut être plus clair. Mais il est vrai qu'en ce pays le chef de l'État nomme encore un député sur cinq et peut annuler le résultat des élections s'il estime qu'elles n'ont pas été libres...

Pareil mépris de la volonté populaire est contradictoire avec le pluralisme. Paraître respecter cette volonté est plus habile. On recourt alors aux manœuvres frauduleuses pour obtenir le résultat souhaité. Indépendamment de la mise à disposition des moyens de l'État aux seuls candidats du pouvoir en place lorsque, du fait de la présence d'observateurs, le bourrage des urnes n'est plus possible d'autres mesures peuvent être prises. Ce sont des partis d'opposition non légalisés, des cartes d'électeurs non distribuées, une commission électorale sous contrôle du pouvoir (Kenya, 2000), des cartes d'électeurs non délivrées aux supposés opposants (Togo, 1998), la falsification des listes électorales (Gabon, 1998), la falsification des listes électorales, l'attribution aux fidèles de plusieurs cartes d'électeurs, l'altération du vote des nomades (Tchad, 2001), la suppression de la commission électorale indépendante remplacée par une commission présidée par le chef de l'État lui-même candidat (Niger, 1996)....

En de telles conditions la qualification de « mascarade » pour le processus électoral, même si elle ne peut toujours être tenue pour vérité incontestable, est fréquente chez les opposants. Ils peuvent alors être tentés de revendiquer un pouvoir qu'ils affirment avoir gagné dans les urnes en dehors des manipulations. Ainsi à Madagascar, en 2002, le candidat de l'opposition à l'élection présidentielle, M. Ravalomanana, refuse de participer à un second tour de scrutin en considérant avoir obtenu la majorité absolue au premier. Dans un contexte de paralysie de l'activité économique il s'autoproclame président, constitue un gouvernement... Après sept mois de crise au cours desquels la menace de guerre civile et de désintégration du pays est forte, il parvient à s'imposer dans l'île comme au plan international. Plus fréquemment les partis d'opposition décident de boycotter des élections qu'ils jugent jouées avant d'être organisées : élections présidentielles de 1991 et 1998 au Burkina-Faso, de 1997 au Cameroun, de 1998 au Mali (après annulation des élections législatives du mois précédent par la cour suprême pour irrégularités), de 2000 au Congo. Le jeu politique en est alors irrémédiablement faussé.

Lorsqu'il en est ainsi la tentation de se perpétuer au pouvoir apparaît chez certains de ceux qui l'exercent depuis dix, vingt ou trente ans. Mais des dispositions constitutionnelles peuvent y faire obstacle. Une limite d'âge peut être fixée à la candidature (70 ans pour l'élection présidentielle au Bénin). Plus fréquemment le nombre de mandats présidentiels pouvant être exercés est limité. La Constitution est alors révisée pour lever l'obstacle comme au Burkina-Faso, en Guinée en 2001 où le président l'obtient par référendum (98, 35 % de oui), et peut l'être à l'avenir au Togo, voire en Namibie pour régulariser l'inconstitutionnalité de la multiplicité de mandats pour le même président...

L'apprentissage de la démocratie est ardu. L'exemple des grands pays occidentaux révèle qu'il n'est d'ailleurs jamais parfaitement achevé. Néanmoins l'aide aux pays en développement peut s'exercer utilement en matière électorale. Certains États, notamment la France, ou l'Union européenne et les Nations unies prêtent leur concours. Le dénuement de certains pays est tel que le matériel électoral (urnes...) doit être fourni. Surtout des observateurs étrangers au pays (si tant est que leur mission puisse être valablement accomplie sur l'ensemble du territoire) peuvent être garants du respect des procédures et de la régularité des scrutins et par là même favoriser l'établissement de la paix civile. À l'inverse l'expulsion de tels observateurs avant le scrutin (Zimbabwe, 2002) couronne d'impressionnantes irrégularités.

Ce sont, enfin, ces irrégularités dans le jeu pluraliste qui sont invoquées par ceux qui cherchent à s'imposer par la force pour justifier leur action. À l'égal de certains États latino-américains où, dans le passé, le coup d'État était quasi-annuel, la Côte-d'Ivoire est maintenant agitée de soubresauts répétés ou la Centrafrique, en 2002, en est à connaître sa troisième tentative de prise de pouvoir armée en quinze mois...

II – Le pluralisme sans alternance

Quelques pays, parfois depuis des décennies, paraissent figés dans un pluralisme incontestable mais singulier. Si la variété des opinions existe bien, si la vie politique est animée par plusieurs partis, si les élections, sont disputées, l'organisation de l'État, en fait, n'offre pas à tous la possibilité d'exercer le pouvoir qui reste réservé à une force politique dominante.

L'Égypte offre un bel exemple de pluralisme contraint. Après l'abolition de la monarchie en 1952 un parti unique a été créé qui, en 1975-1976, lors de l'établissement du multipartisme, a été, par une opération étonnante, divisé en trois... Depuis cette date, le multipartisme, quantitativement très réel (14 partis en lice aux élections de 1995) apparaît comme assez superficiel. L'élection présidentielle, pour laquelle les candidats doivent être désignés par au moins un tiers des députés, se ramène à un plébiscite à l'égard du candidat unique choisi par le parti gouvernemental seul en mesure de procéder à une telle désignation. Ainsi fut-il fait encore, en 1999, en

faveur d'H. Moubarak, désigné à l'unanimité des parlementaires, élu sans risque, pour un quatrième mandat de six ans,
à la belle majorité de plus de 93 % des électeurs. Outre les
référendums qui assez fréquemment donnent au peuple l'occasion de se prononcer celui-ci s'exprime tous les cinq ans à
l'occasion des élections législatives. Celles-ci, sous l'effet de
fraudes, arrestations d'opposants, lois électorales complexes
ou étranges, accordent toujours une très large majorité au
parti gouvernemental, le parti national démocrate (PND). En
2000 le PND perd un nombre impressionnant de sièges mais,
avec le ralliement d'élus indépendants, conserve une majorité de presque 90 % des sièges. Après des élections jugées
honnêtes, du fait de leur contrôle strict par les magistrats, le
moyen est encore trouvé de maintenir une large prépondérance à la force dominante. Parallèlement, un fils d'H.
Moubarak accède à d'importantes responsabilités au sein du
PND ; cela suscite des rumeurs de possible succession…

La Tunisie, de son côté, ne parvient pas, malgré des tentatives
répétées, à la maturité démocratique. De son indépendance à
1987, sous la direction de H. Bourguiba, se manifeste
sporadiquement une volonté de démocratisation jamais
réalisée. En 1987, le multipartisme peut s'exprimer sous la
réserve toutefois de la non-légalisation de mouvement
islamiste. Tous les mouvements politiques et organisations
socioprofessionnelles concluent un « pacte national » qui
« réunit les Tunisiens autour d'un même consensus ».
L'élection présidentielle de 1989 consacre le seul candidat, le
président Ben Ali, successeur d'H. Bourguiba, qui dispose de
l'appui de tous les partis. Les élections législatives
concomitantes sont très favorables au parti présidentiel, le
Rassemblement constitutionnel démocratique (RCD) qui
remporte tous les sièges face à six autres partis ne recueillant
qu'une très faible audience. Cette situation se retrouve, à peu
près sans changement, au début du XXIᵉ siècle. Après sa
réélection en 1994 le président Ben Ali a obtenu un troisième
mandat en 1999, avec, malgré la concurrence de deux autres

candidats, 99.44 % des suffrages. L'élection était cette fois, au moins formellement, disputée grâce à la modification transitoire de dispositions constitutionnelles qui interdisent pratiquement toute autre candidature que celle du chef de l'État. À cette pluralité voulue de candidatures à l'élection présidentielle fait pendant l'attribution automatique à l'opposition de 20 % des sièges à l'assemblée, le RCD remportant pour sa part les 148 sièges disputés. Le pluralisme garanti institutionnellement, est par ailleurs souvent maltraité. Au nom du combat contre les islamistes ou de la préservation du développement économique les atteintes aux libertés sont fréquentes, les opposants intimidés, pourchassés ou condamnés. En 2002, est adoptée une réforme « fondamentale » de la constitution destinée à « consacrer le pluralisme », à étendre la compétence de la cour constitutionnelle, à instituer une seconde assemblée mais surtout à abroger la disposition de l'article 39 de la constitution qui interdisait l'exercice de plus de trois mandats présidentiels en repoussant, par ailleurs, à 75 ans la limite d'âge pour être candidat. 99,61 % des électeurs ont approuvé une mesure qui ouvre au président Ben Ali la possibilité d'exercer deux mandats supplémentaires et, ainsi, de se maintenir au pouvoir pendant 27 ans...

Pendant presque tout le XXe siècle le Mexique a offert un exemple remarquable de pluralisme tronqué. Après sa révolution de 1917, il connaît depuis les années 1930, l'hégémonie d'un parti, le Parti révolutionnaire institutionnel (PRI), qui domine la vie politique régie par un régime présidentiel de facture classique (avec, en particulier, un mandat présidentiel de six années non renouvelable). Ce parti qui regroupe des millions d'adhérents contrôle en outre des organisations de masse : travailleurs, agriculteurs, organisations populaires diverses... Mais il est loin d'être unique, de par sa volonté parfois, qui l'amène à créer des partis « cousins » destinés à donner le change, ou de par la volonté autonome d'opposants : partis divers de gauche et surtout Parti d'action national (PAN) de type démocrate-chrétien. Les élections expriment la supériorité du PRI... L'élection présidentielle, même disputée entre plusieurs candidats, ne peut connaître que la victoire du candidat du pouvoir. Avec le scrutin majoritaire à un tour retenu pour les élections législatives, l'Assemblée est monocolore. Depuis longtemps déjà, devant le pourcentage considérable d'abstentions, la préoccupation s'est exprimée, notamment chez les présidents, de réformer le régime. La loi électorale a été modifiée, à diverses reprises, pour réserver un contingent de sièges à la chambre basse aux partis d'opposition. Mais le système a été très sérieusement menacé lors de l'élection présidentielle de 1988 où un candidat d'opposition, démissionnaire du PRI et fils d'un ancien président très populaire, C. Cardenas a peut-être gagné l'élection. Mais à la suite de diverses manipulations, le candidat du PRI, C. Salinas a été déclaré vainqueur, peut-être même contre son gré, avec 50,36 % des voix. Les élections législatives de 1991 ont ramené à la norme : le PRI a connu une victoire écrasante. Même ébranlé par quelques succès de l'opposition en des élections locales et l'assassinat de plusieurs de ses hauts responsables le parti dominant se maintient encore en 1994, avec l'élection d'E. Zedillo qui, comme toujours, dispose d'une majorité absolue à la chambre basse. Mais l'alternance, après plus de 70 ans de régime, se produit enfin. Après la mise en place d'une organisation électorale garantissant la régularité des scrutins le PRI perd la majorité à l'assemblée en 1997 et, à la suite, l'élection présidentielle de 2000 au profit du candidat du PAN V. Fox (42,5 % contre 36,6 %). Avec le XXIe siècle le Mexique entre, enfin, dans la démocratie ordinaire.

CHAPITRE III

Les régimes politiques unitaires

Le régime politique unitaire est celui où le pouvoir est exercé par un homme ou un groupe d'hommes (oligarchie), représentant ou non une force politique unique. Dans cette situation, en fait sinon en droit, l'exclusivisme politique est de rigueur, les gouvernants ne peuvent être écartés, l'opposition est interdite ou, en tout cas, placée en situation de ne pouvoir accéder au pouvoir. Le pluralisme est rejeté ; même s'il est toléré dans certaines conditions, il ne peut aboutir à un changement de gouvernants.

L'État autoritaire, s'il n'est pas propre au tiers-monde, s'y rencontre cependant fréquemment. Il est vrai qu'il y trouve souvent un terrain favorable. Celui-ci résulte de la situation de pauvreté et de domination mais aussi des conceptions relatives au pouvoir. Les conceptions philosophiques dominantes peuvent être anti-individualistes ; l'individu n'est pas la valeur suprême et la liberté individuelle, fondement du pluralisme, n'est pas revendiquée. Les conceptions religieuses, islamique ou confucéenne, jouent dans le même sens. Les conceptions politiques qui en résultent n'aboutissent pas à l'idée que l'individu a des droits face au pouvoir et que les gouvernants doivent agir sous contrôle.

Le régime unitaire se présente sous des formes tradition-nelles : des diverses variétés de monarchies aux dictatures civiles ou militaires.

SECTION I
LES MONARCHIES

La monarchie est la forme millénaire du régime unitaire. Avec elle, le pouvoir est concentré dans les mains d'un homme qui peut cependant consentir à des concessions en faveur de certaines institutions ou accepter le contrepoids de certaines forces sociales.

La monarchie présente un avantage notable sur les autres formes de régimes autoritaires : la dévolution du pouvoir y est organisée souvent sur le principe héréditaire, parfois par l'élection par un collège aristocratique ou religieux. Le problème le plus aigu de la dictature, assurer la succession du dictateur, ne se pose pas.

Mais quels que soient ses avantages, la monarchie est en considérable recul et paraît aujourd'hui (hors les cas où elle n'est plus que symbole, en certains États européens) une forme archaïque d'organisation de l'État. La monarchie est exceptionnelle à l'époque contemporaine sous sa forme abso-lue comme sous sa forme modérée.

A – LA MONARCHIE ABSOLUE

La monarchie absolue ne paraît plus exister qu'en la seule Arabie Saoudite. L'Arabie Saoudite, sous l'empire de la Constitution de 1926, reconnaît que « toute l'administration du Royaume est entre les mains de Sa Majesté le Roi ». Le roi est titulaire de tous les pouvoirs législatif, exécutif, judiciaire. Sans doute consent-il à des délégations en faveur de ministres et à consulter différents conseils mais aucune insti-tution indépendante de sa personne n'existe et en particulier aucune assemblée même consultative. Toutefois, en 1993, a été créé un conseil consultatif de 60 membres nommés par le souverain et ayant compétence pour « discuter la politique générale de l'État » tandis qu'une loi fondamentale était édictée.

Cette monarchie est même plus qu'absolue, au sens occidental de ce terme, dans la mesure où le chef de l'État est conjointement chef religieux, en l'espèce du wahhabisme, mouvement réformateur de l'Islam sunnite particulièrement strict et rigoriste. Aujourd'hui encore, au nom de la religion, le pays connaît, malgré sa richesse et son modernisme économique, le maintien, au niveau des mœurs, de la tradition la plus stricte.

Pendant quelques années, après 1986, on aurait pu se demander si la monarchie absolue n'avait pas été restaurée au Koweït. Celui-ci connaissait, depuis son indépendance en 1961, une monarchie limitée. Mais en 1986, l'Assemblée, manifestant sa volonté de participer plus effectivement à l'exercice du pouvoir, notamment en contrôlant le gouvernement, a été dissoute sans que, contrairement à la Constitution, de nouvelles élections soient organisées. Toutefois, en 1992, un nouveau Parlement a été élu, renouvellé ensuite, qui, malgré sa large majorité favorable au gouvernement, connaît des débats animés. Mais le pouvoir réel reste aux mains de l'Émir et de ses ministres.

B – La monarchie limitée

Dans la monarchie tempérée, le roi garde la suprématie mais accepte de prendre en compte, dans une certaine mesure, d'autres volontés que la sienne, en particulier, celle d'assemblées. Cette forme de monarchie se rencontre rarement à l'époque contemporaine : tant il est vrai qu'elle apparaît généralement comme une phase transitoire précédant la monarchie parlementaire où le monarque constitutionnellement s'efface, ou la démocratie.

La Jordanie, État amputé d'une partie de son territoire et peuplé d'un grand nombre de réfugiés palestiniens turbulents, connaît une monarchie dotée d'institutions représentatives. Un parlement bicaméral existe dont l'une des chambres est élue et détient le pouvoir de contrôle du gouvernement. Pendant longtemps, la seule véritable autorité est celle du roi Hussein, d'autant qu'après 1957 les partis politiques sont interdits. Une évolution s'est produite avec les élections législatives de 1989 où le parti gouvernemental, du fait surtout de l'audience des candidats islamistes, n'a obtenu qu'une très faible majorité. Après la guerre du Golfe qui faisait peser de lourdes menaces sur l'État et le régime, une charte nationale a été adoptée qui consacre le pluralisme (affirmé non plus contre la monarchie mais contre les Frères Musulmans désireux d'établir un régime islamiste), et un gouvernement de large union, à l'exception des islamistes, a été constitué. Après la disparition du roi Hussein, le contexte troublé du Moyen-Orient dans les premières années du XXIe siècle crée une situation dangereuse pour l'État et le régime.

Bien que plus évolué et moderne que l'Arabie Saoudite, le Maroc est aussi une monarchie théocratique où le roi, selon la Constitution de 1972, est le « chef de la communauté des croyants ». Au plan du pouvoir politique, Mohamed V puis Hassan II, forts de la légitimité tirée de la résistance à la puissance coloniale et de l'exil, ont cherché à mettre en place une organisation constitutionnelle où le pouvoir serait partagé avec des institutions représentatives. Mais, contradiction propre à la monarchie, ils n'ont jamais pu vraiment se résoudre en fait à ce partage. Plusieurs constitutions se sont succédé, adoptées par référendum, et prévoyant l'institution parlementaire. Mais, même lorsque l'application de la constitution n'était pas suspendue par l'état d'exception, le roi a toujours pu maintenir son autorité prééminente. Cela a été possible grâce à l'appui que, dans le cadre d'un multipartisme vigoureux (15 partis représentés en 1997), il a toujours pu trouver à l'Assemblée, grâce également depuis 1975, à la volonté de toutes les forces politiques, y compris d'opposition, de faire bloc dans l'intérêt national menacé au Sahara occidental. Peu avant la fin de son règne, Hassan II a pu, après les élections à la Chambre des députés de 1997 qui permettaient toujours la constitution d'un gouvernement s'appuyant sur les partis jusqu'alors au pouvoir, réaliser l'alternance en confiant le gouvernement aux partis de gauche dans l'opposition depuis plusieurs décennies. Mais le nouveau Premier ministre A. Youssoufi, pas plus que ses prédécesseurs, n'a acquis la maîtrise de son action. Il a dû accepter le choix royal aux ministères des Affaires étrangères, de la Justice, de l'Intérieur, des Affaires islamiques... Les élections législatives de 2002, scrutin « honnête et transparent », maintiennent l'émiettement de la représentation parlementaire et offrent au roi la possibilité de désigner comme Premier ministre un homme sans appartenance partisane (mais précédemment ministre de l'Intérieur) qui gouverne avec l'appui d'une large majorité parlementaire excluant toutefois les islamistes. Ainsi dans la monarchie constitutionnelle marocaine, maintenant sous le règne de Mohamed VI, le roi continue de gouverner, même si dans l'intérêt bien compris d'affermissement de cette monarchie, il accorde une certaine influence aux élus du suffrage universel.

Section II
Les dictatures civiles

La dictature civile n'est pas la forme la plus répandue de régime autoritaire dans le tiers-monde. Le dictateur beaucoup plus souvent porte l'uniforme militaire. Mais cette dictature civile existe néanmoins. Jusqu'en 1984, la Guinée de Sekou Touré en était un bon exemple. Sekou Touré, lui-même, se déclarait « dictateur au nom du peuple », prétendait exprimer « l'élan des masses » et être « l'incarnation intransigeante de la volonté populaire ». De 1958 à 1984, date de sa mort, il a exercé un pouvoir sans partage si désastreux que le quart de la population a choisi de quitter un pays totalement délabré et privé de liberté. La dictature en Guinée a connu sa fin habituelle. La succession du dictateur s'est révélée impossible. Trois jours après ses obsèques, le régime militaire était institué dont le chef, L. Conté, a pu ensuite se faire élire président, puis réélire en des conditions telles que, sous couvert de changement de vêtements et simulacre d'élections, la dictature civile semble bien être réapparue.

Sans doute convient-il également de considérer que la République démocratique du Congo (ex Zaïre) est, elle aussi, placée sous dictature civile depuis mai 1997. À cette date, L.D. Kabila, chef d'une « Alliance des forces démocratiques pour la libération » fait entrer ses rebelles, soutenus par des militaires angolais et zimbabwéens, à Kinshassa et s'autoproclame chef de l'État. Il est assassiné en 2001 alors que des troubles graves agitent le pays. De manière parfaitement surprenante son fils Joseph, âgé de moins de 30 ans, lui succède imposé par le clan familial qui gouverne alors le pays. Succession héréditaire dans un cadre non monarchique... rêve de dictateur réalisé, comme peu de temps auparavant en Syrie ou Corée du Nord.

Il est aujourd'hui une dictature non militaire, de type particulier, la dictature religieuse qui est peut-être promise en terre d'Islam à un certain avenir. Cette forme de dictature repose sur le principe de la suprématie absolue de la loi divine sur toute loi humaine. Elle est le fait de qui a, par fonction, qualité pour connaître cette loi, à toutes, supérieure. Dans le passé, la référence est la république de la vertu chrétienne de Savonarole, à la fin du XVe siècle à Florence, brève mais intransigeante. Actuellement, l'exemple est celui de l'Iran, depuis 1979, avec l'instauration sous l'autorité de l'imam Khomeiny d'une République islamique. Depuis cette date, l'État est rigoureusement organisé pour être soumis à la loi divine et donc, selon Khomeiny, par ordre de Dieu, placé sous le contrôle des religieux à qui soumission est due.

La constitution iranienne de 1979 retient une organisation très remarquable. Au-dessus des différentes instances constituant l'appareil politique central de l'État (parlement, président de la République, gouvernement,…) sont placés le Guide qui désigne la plus haute autorité judiciaire, le commandant suprême des forces armées, ratifie l'élection du président de la République et peut le révoquer, décide de la guerre comme de la paix, et le Conseil de surveillance composé à parité de théologiens, désignés par le Guide, et de juristes élus par le parlement dont la fonction essentielle, exercée par ses seuls membres religieux, est de contrôler la conformité des lois à la loi islamique elle-même. Pendant dix années, Khomeiny réussit à imposer sa férule et, après que lui eut été reconnu « le pouvoir divin du Prophète et des imams », il put même s'opposer à la rigueur intransigeante, et en temps de guerre suicidaire, du Conseil de surveillance. À sa mort, le système demeure et fait la preuve de son efficacité. En 1997, M. Khatami, réformateur désireux d'établir un état de droit et de libertés, est élu par les citoyens à la présidence de la République. Même avec l'appui, surtout après 2000, d'une majorité parlementaire, le président se heurte à l'opposition du guide de la Révolution et des conseils chargés du contrôle de l'appareil d'État. Sa réélection triomphale, en 2001, avec 77 % des suffrages, révèle de manière éclatante des aspirations populaires que les élus ne peuvent satisfaire. Le camp conservateur, grâce à sa maîtrise de la structure religieuse de l'État, conserve sa prépondérance sur le gouvernement et le parlement comme d'ailleurs son autorité sur le pouvoir judiciaire dès lors vigoureusement répressif. En ce système l'expression du suffrage universel n'est aucunement souveraine. Le véritable souverain est le « guide » qui cherche à se faire reconnaître la qualification religieuse suprême afin de rendre son autorité absolument incontestable.

D'autres pays, comme le Pakistan, ont retenu des institutions qui relèvent de cette logique de suprématie de la loi religieuse encore triomphante dans l'Afghanistan des talibans entre 1996 et 2001. En bien d'autres pays, jusqu'à certaines anciennes Républiques musulmanes de l'U.R.S.S., des forces politiques importantes souhaitent l'instauration d'un semblable régime islamique.

SECTION III
LES DICTATURES MILITAIRES

La dictature militaire n'est pas un phénomène limité au tiers-monde. Les États occidentaux la connaissent également encore à une date récente en Espagne ou en Grèce et la France, au début des années 60, en a éprouvé la menace. Mais le tiers-monde y est plus exposé que les États développés.

À dire vrai, le régime militaire n'est pas un régime dont l'existence puisse surprendre. L'armée est normalement la force coercitive la plus importante dans l'État. Comme tout pouvoir a besoin de force, le pouvoir militaire n'a pas à la chercher ; elle lui est coexistentielle. Dans les circonstances où le régime civil est faible, impuissant, placé dans l'incapacité de gouverner véritablement le pays, l'armée qui souffre de cette situation est naturellement tentée de se substituer à lui et l'opinion politique peut le souhaiter.

Pourtant, l'armée dans les pays du tiers-monde, à raison de sa faiblesse, peut paraître peu menaçante. En de nombreux États, quelques milliers d'hommes la constituent ; même les pays les plus importants par leur population n'ont que des forces proportionnellement faibles par rapport à celle des pays développés. Comme les interventions étrangères de suppléance le prouvent, ces armées sont fréquemment incapables de résister à une entreprise extérieure même peu impressionnante. En fait, l'armée se voit affectée à une mission de sécurité intérieure, à laquelle parfois s'ajoute une intervention dans le développement du pays (grands travaux...), qui s'exerce spécialement dans la capitale où, comme en France au XIXe siècle, une journée d'émeutes peut emporter le régime. Cette fonction ne peut évidemment que l'engager spontanément dans un rôle extra-militaire et l'amener à exercer le pouvoir politique. Mais elle est souvent loin alors de disposer d'atouts maîtres pour remplir cette fonction. En raison de ses caractéristiques : formation de ses cadres et armement assurés par des puissances extérieures qui la rende étrangère au corps social, recrutement dans l'ethnie dominante qui suscite la méfiance d'une partie de la population, l'armée n'a pas un label national indiscutable facilitant le gouvernement du pays.

A – La typologie des régimes militaires

Hors le fait, point commun, que l'uniforme domine dans les manifestations de la vie politique, les régimes militaires sont divers et différents à bien des égards.

I – La nature de l'intervention militaire

Si, par hypothèse, l'intervention dans la sphère politique est le fait d'hommes porteurs de galons, elle est néanmoins profondément différente selon qu'elle est entreprise par l'armée elle-même ou par certains de ses membres.

Dans le premier cas, l'armée en tant que corps prend le pouvoir et entend l'exercer. Structure hiérarchisée et disciplinée, l'armée délègue ses chefs au gouvernement du pays et ceux-ci, nouveaux gouvernants, peuvent bénéficier du soutien du corps à tous les niveaux. Caractéristique, à cet égard, en différents pays d'Amérique latine, la junte, organe composé des chefs des différentes armes et titulaire du pouvoir. Plus simplement encore, comme au Pakistan en 1999, c'est le chef de l'armée qui, au nom de celle-ci, s'empare du pouvoir.

Dans le second cas, le pouvoir est saisi, non par le corps dans son ensemble mais par certains militaires. L'action personnelle, individuelle ou commune à quelques-uns, ne respecte pas nécessairement la hiérarchie et peut être le fait de presque sans grades. L'entreprend ainsi au Dahomey, en 1967, un capitaine : M. Kérékou associé à un commandant de parachutistes, au Mali, en 1968, un lieutenant : M. Traoré, au Liberia, en 1980, un sergent-chef : S.K. Doé…

Il est évident que la nature de l'intervention militaire comporte une incidence profonde sur la stabilité du régime. Lorsque celui-ci est assuré par l'armée, il profite normalement de sa discipline interne. Les dirigeants de l'État sont obéis tout comme lorsqu'ils n'étaient que responsables militaires. Naturellement, les conflits de personnes au niveau le plus élevé de la hiérarchie se transfèrent à la direction de l'État. Mais ils peuvent être résolus alors dans le cadre de l'instance de commandement. Au Chili, après 1973, ou en Argentine après 1976, les conflits politiques entre chefs militaires ont pu être réglés, y compris par changement de personnes, au sein des juntes. En revanche, lorsqu'un militaire s'est emparé du pouvoir politique, ce qu'il a fait, dix autres peuvent être tentés de le faire à leur tour, convaincus, en outre, que leur titre à agir est bien plus fondé. Les divisions au sein de l'armée peuvent alors plonger le pays dans les troubles et l'instabilité. Le Burkina-Faso fournit malheureusement un bon exemple d'une telle situation. Depuis 1980, trois putschs militaires (en 1980, 1983, 1987) ont propulsé successivement à la direction de l'État des hommes qui s'étaient antérieurement réunis pour s'emparer du pouvoir puis combattus pour l'exercer seuls. De plus, en dehors de ces putschs, parfois sanglants, des tentatives individuelles de mainmise sur le pouvoir ont été tentées par d'anciens coalisés et ont encore accru le désordre. Le Nigeria a, lui aussi, connu une succession de généraux chassant leurs prédécesseurs de la direction de l'État.

II – Les conditions d'accession au pouvoir des militaires

Le régime militaire est spontanément considéré comme le fruit d'une action de force illégale, d'un putsch, d'un pronunciamiento... Il est bien vrai que d'innombrables régimes militaires sont la conséquence d'une conquête brutale du pouvoir. Certains États en viennent même à considérer que le seul moyen de se prémunir contre une telle action est... de supprimer l'armée. Ainsi, du Costa Rica, en 1950, qui, depuis, cette date, connaît un régime politique civil parfaitement paisible.

Mais, est cependant des cas où, à l'inverse, les militaires accèdent au gouvernement sans l'avoir cherché. Cela est alors la conséquence d'une situation où le pouvoir est, en fait, dépourvu de titulaire réel et ne peut en trouver ou, à l'inverse, est si disputé qu'aucune force politique ne peut s'en emparer. En Amérique latine, le parti vaincu aux élections sollicite parfois l'intervention militaire plutôt que d'admettre l'accession au pouvoir du vainqueur. (Brésil, 1955) En Afrique, l'armée est parfois « l'héritière d'un pouvoir abandonné » (D.G. Lavroff). Telle est la situation en Haute-Volta (Burkina-Faso) où par deux fois en 1966 et 1974, l'armée, seule force organisée et homogène, est amenée à exercer le pouvoir devant l'impasse politique. Elle indique alors immédiatement son intention de le rendre aux civils dès que possible et tient son engagement en 1970 et 1977. Mieux, ou pire, l'armée n'a parfois même pas à « ramasser » un pouvoir sans titulaire réel : elle le reçoit du pouvoir civil agonisant. En Centrafrique, en 1981, le pouvoir civil disparaît après un coup d'État militaire mais, semble-t-il, réalisé par consentement mutuel : le pouvoir civil impuissant transmet en fait le pouvoir aux militaires plutôt que de risquer de le voir confisqué par son opposition. La mise en scène est même évitée à Madagascar, en 1972, où le régime jusqu'alors stable connaît des difficultés qu'il se révèle impuissant à maîtriser. Le gouvernement, totalement isolé, appelle à la direction du pays le chef de l'armée et lui accorde les pleins pouvoirs. Dans des circonstances de ce type, l'armée apparaît comme le recours devant le vide politique ; au fond, elle gouverne parce qu'elle existe et qu'elle est à peu près seule à exister en tant que force organisée.

III – La finalité du régime militaire

Bien qu'il soit très fréquemment tenté de se présenter comme « apolitique » ou « neutre », le régime militaire, comme tout pouvoir a un objectif politique. Seuls peuvent faire exception les régimes militaires qui cherchent à disparaître et à rendre le pouvoir aux civils.

L'objectif poursuivi par les militaires peut, en premier lieu, être la satisfaction d'intérêts corporatistes. En Amérique latine comme en Afrique, un certain nombre de coups d'État, n'ont pas d'autre explication. Au Congo, en 1968, l'action de l'armée s'explique par la volonté de défendre un statut social spécialement face aux milices populaires. Au Ghana, en 1966, l'intervention de l'armée a son origine dans le mécontente-ment occasionné par des soldes et un matériel inférieurs à ceux de la garde présidentielle. En Côte-d'Ivoire, en 1999, une mutinerie de jeunes soldats d'une formation parachu-tiste réclamant l'amélioration de leur solde se métamorphose en putsch de leur ancien chef et ancien chef d'état-major de l'armée. Le pouvoir militaire installé ne satisfaisant pas toutes leurs exigences, d'autres mutineries se produisent. Au fond, en ces circonstances, l'armée réalise ce que chaque groupe social voudrait pouvoir faire : imposer sa volonté à son avantage. Sa puissance le lui permet et elle le fait sans vergogne : au début des années 70, en Afrique noire, les crédits alloués à la défense étaient deux fois plus importants dans les pays à régime militaire que dans les autres…

Le régime militaire peut, en second lieu, être de réaction sociale. L'armée, en Europe, a souvent été le refuge de l'aris-tocratie et de la bourgeoisie la plus traditionnaliste et, de ce fait, a été l'alliée des forces conservatrices. En des conditions différentes, cette même alliance se retrouve dans le tiers-monde. En Amérique latine, l'armée est apparue, dans les dernières décennies, comme une force s'opposant au mouvement populaire d'autant plus qu'elle devait parfois lutter contre un terrorisme justifié par la nécessité de libération sociale. Tel fut le cas des régimes militaires les plus récents au Chili, en Argentine, au Brésil… En Afrique où la stratification sociale est moins marquée, l'armée s'est souvent alliée avec certaines tendances des couches privilégiées. Son intervention est indiscutablement « réactionnaire », en 1966, au Ghana contre le « progressisme » de N'Krumah, en 1968, au Mali, contre le « socialisme » de M. Keita, en 1971, en Ouganda, contre le régime « progressiste » de M. Obote… Les militaires n'hésitent pas à marquer leur volonté de « retour complet au libéralisme » (Niger, 1974 ; Mauritanie, 1978).

Le régime militaire, en troisième lieu, peut viser la transformation sociale. Dans l'entre-deux-guerres, en certains États latino-américains ou en Turquie, le régime militaire affronte les classes dirigeantes traditionnelles et cherche la modernisation et le développement. En Afrique, plus récemment, l'armée, en certains pays, veut éliminer la bourgeoisie d'affaires liée à l'étranger et les grands propriétaires terriens. Cette volonté de transformation sociale s'est particulièrement manifestée dans les États dits « d'orientation socialiste ». Ces États, comme tels reconnus, depuis 1963, par le mouvement communiste international, ne connaissent pas la dictature d'un prolétariat, d'ailleurs inexistant, mais une dictature démocratique exercée par « des couches intermédiaires non prolétariennes normalement organisées dans l'institution qu'est l'armée ». En ces États où l'influence du constitutionnalisme socialiste est très forte (parti unique fréquemment, organisation constitutionnelle de type socialiste avec cependant de fortes altérations, politique extérieure anti-impérialiste) l'armée, malgré l'idéologie officielle, exerce une emprise dominante.

Ces États d'orientation socialiste, loin d'évoluer vers le socialisme, sont retournés, au début des années 90, à leur passé. En Algérie, Éthiopie, Mozambique, Bénin, Nicaragua, Congo, Madagascar, la référence au marxisme a partout été abandonnée. Les dirigeants militaires, privés de tout secours des États socialistes n'ont cherché qu'à se maintenir à la tête d'un État privé de son projet.

IV – L'organisation du régime militaire

Le pouvoir militaire, même s'il se veut provisoire, ne peut rester un pouvoir de fait. Il doit naturellement s'institutionnaliser, même sommairement. Un acte constitutionnel définissant une organisation de l'État, corrigée ou simplifiée, ou une constitution plus élaborée peuvent être édictés. De plus, spécialement si le nouveau pouvoir se heurte à des résistances dans la population, il peut chercher une manifestation d'approbation populaire, par exemple, en soumettant les textes constitutionnels à référendum. Sa légitimité est alors établie dans le pays comme à l'égard de l'étranger.

L'avènement d'un régime militaire a habituellement pour conséquence l'interdiction de tous les partis. Ceux-ci, par leurs divisions, à tort ou à raison, sont considérés comme responsables de tous les maux du régime civil qui ont « contraint » les militaires à sortir des casernes. Mais au-delà de ce premier mouvement, la disparition de tout parti apparaît vite comme préjudiciable à l'encadrement de la population. Nombreux sont les régimes militaires à souhaiter alors le secours d'un parti unique, plus rarement d'un pluripartisme éventuellement limité. Tout est ici fonction de l'évolution du régime militaire et de la finalité qu'il fixe à son existence… La donnée constante cependant est la domestication des forces politiques, seulement tolérées au nom de la nécessité, plus qu'admises.

L'organisation étatique doit intégrer l'immixtion des militaires. Ceux-ci s'insèrent dans l'État selon des modalités extrêmement variables qui sont néanmoins de trois types. La première formule, typiquement sud-américaine, est celle de la junte. Plus généralement, cette formule est retenue lorsque l'armée, en tant que corps, s'empare du pouvoir. La junte rassemble les chefs des armées, normalement terre, air, marine, parfois, en outre, les carabiniers chargés du maintien de l'ordre. Dans un souci d'égalité entre les armes, il est possible qu'un président soit désigné hors des chefs militaires en fonction, par exemple un militaire retraité comme dans le régime argentin après 1978. La seconde formule, mieux adaptée à la prise de pouvoir par un groupe de militaires, est celle du comité militaire souvent qualifié de révolutionnaire. En ce cas, la volonté initiale est celle de mise en place d'une direction collective censée éviter l'établissement du pouvoir personnel. L'exemple type est le conseil de commandement de la Révolution mis en place après l'abolition de la monarchie en Égypte, en 1952, souvent copié depuis au Moyen-Orient et en Afrique. Ainsi au Nigeria, du Conseil provisoire de gouvernement qui, de 1994 à 1998, est composé de 25 militaires après avoir antérieurement allié 4 civils à 7 militaires. Forme originale de semblable comité, celui du « Redressement pour le progrès national » institué en Haute-Volta en 1980, « sorte de parlement militaire informel » où siègent hommes de troupe, sous-officiers, officiers subalternes ou supérieurs périodiquement renouvelés mais chapeauté par un comité directeur de sept membres. Dans la même inspiration, le « Comité national de salut public » ivoirien, en 1999, est composé de 9 militaires de tous grades qui, presque tous, en outre, entrent au gouvernement. Troisième formule, enfin, de loin la plus simple, celle du chef militaire seul à détenir le pouvoir. La concentration de tous les pouvoirs en ses mains est la caractéristique de cette solution. En Centrafrique, en 1966, le chef d'état-major de l'armée J.B. Bokassa dépose le président, dissout l'assemblée, abroge la Constitution, s'attribue le pouvoir législatif et exécutif (jusqu'à douze postes ministériels à lui seul), maintient un parti et un seul dont il devient président à vie comme de l'État...

Lorsqu'elle est collective, l'instance militaire suprême, loin de la représentation naïve d'obéissance et de discipline de l'armée que celle-ci d'ailleurs cherche à susciter, est agitée de conflits et d'affrontements de personnes. La junte, comme dans les derniers régimes militaires en Argentine, connaît alors destitutions et tentatives de coups de force. En six années de 1976 à 1982, en ce pays, la junte désigne successivement six présidents et se révèle, elle-même, hors d'état de fonctionner pendant plusieurs mois en 1982. Le Comité militaire, comme en Égypte, après 1952, ou en Libye, après 1969, connaît des divisions et épurations successives et finit par se résoudre dans le pouvoir d'un seul, G.A. Nasser ou A. Khadafi. L'organe où réside le pouvoir est naturellement le lieu privilégié de concurrence des ambitions.

Le pouvoir militaire adopte une attitude variable à l'égard des organes traditionnels de l'État. Très généralement, les ministres subsistent mais le gouvernement n'est en fait qu'un comité purement exécutif sans pouvoir politique réel. Le chef de l'État, symbole du régime civil est en général balayé. Mais il est des exceptions. Le régime militaire très fréquent en Thaïlande maintient le roi en fonction, en raison de l'influence qu'il garde en ce pays toujours traditionnaliste. Mais c'est évidemment le parlement qui est le plus exposé à disparaître et qui, effectivement, disparaît pour supprimer toute opposition institutionnelle. Il est, là encore, cependant, des cas comme au Brésil, après 1964, où le parlement est maintenu, mais est soumis à des purges, expulsions de parlementaires, évictions d'opposants, interruptions des sessions... ; près de vingt ans plus tard, il joue, cependant, un rôle important dans le retour au régime démocratique.

B – L'ÉVOLUTION DES RÉGIMES MILITAIRES

Le régime militaire au XXᵉ siècle ne peut prétendre à la légitimité, autrement que temporairement, pour rétablir un ordre perdu ou fortement perturbé, ou porter remède à l'impuissance de l'État. Mais la tentation pour les militaires est en fait de ne pas accepter le rétablissement du régime civil après une période transitoire de gouvernement autoritaire et efficace. L'histoire, en de nombreux pays, montre que les militaires sont parfois tentés d'allonger les délais et de se perpétuer au pouvoir ou, encore plus habilement, de placer le régime civil, auquel ils consentent, sous leur contrôle.

I – La perpétuation du régime militaire

L'armée, qu'elle le reconnaisse ou pas, se considère, en certains cas, indispensable au gouvernement du pays pour une longue période. La légitimité d'un tel gouvernement ayant besoin d'être affirmée, le régime militaire est alors tenté par des actions nationalistes (nationalisation du canal de Suez par l'Égypte en 1956, invasion des Falkland par l'armée argentine en 1982...) ou par des manifestations d'approbation populaires du type de référendums-plébiscites suscitant un appui quasi unanime.

Un très bel essai de perpétuation systématique de régime militaire est celui récent du Chili. Dès leur prise de pouvoir, en 1973, les militaires refusent de préciser le terme de leur mission considérant que l'entreprise de reconstruction nationale dans une société minée par le marxisme exigera du temps. Entre 1973 et 1980, quelques actes constitutionnels accordent tous les pouvoirs (y compris constituant) à la junte ou, plus précisément, à son chef le général A. Pinochet. Celui-ci, devenu président de la République, conforte cette autorité, en 1978, grâce à un référendum-plébiscite où il obtient l'approbation des deux tiers des votants. C'est à la même majorité qu'une constitution est adoptée par référendum en

1980. Cette constitution est intéressante en ce que son article 90 accorde à l'armée un rôle politique permanent en affirmant qu'elle « doit garantir l'ordre institutionnel de la République » et, pour ce faire, est créé un Comité de sécurité nationale, qui réunit les chefs des quatre armées, le président de la République, les présidents des deux Assemblées, et est chargé d'une mission de surveillance et d'alerte à l'égard de tout ce qui pourrait compromettre la sécurité nationale. D'autre part, dans les jours qui précèdent l'adoption de la constitution, un décret-loi est édicté qui prévoit un régime constitutionnel provisoire. Le général Pinochet reste président de la République pendant huit années et demie après l'adoption de la constitution. La junte demeure en fonction pendant ce temps et détient les pouvoirs constituant et législatif, tandis que l'activité politique est interdite. Pendant cette longue période, le pouvoir militaire subsiste donc intégralement et aucune assemblée n'apparaît. Lorsqu'elle s'est achevée, malgré l'intensité de l'opposition politique parfois matée dans le sang, un plébiscite a été organisé en faveur du général Pinochet pour un nouveau mandat de huit ans… La consultation donne un résultat négatif (44 % de oui et 54 % de non) mais n'entraîne pas le retrait de A. Pinochet qui conserve le pouvoir encore pendant dix-huit mois. À la fin de 1989, cependant, des élections présidentielle et législative sont organisées, qui voient la victoire de l'opposition coalisée (sauf au Sénat où certains sénateurs sont nommés). Du fait d'une remarquable concertation de toutes les forces d'opposition, le régime militaire a pu être ainsi remplacé.

La Birmanie offre un exemple encore plus remarquable. Le régime militaire institué en 1962 a imposé, par la terreur, son maintien à une population révoltée, en 1988. Essuyant un échec cinglant aux élections législatives, où le principal parti d'opposition recueille plus de 80 % des suffrages et des sièges, les militaires refusent d'en tenir compte et de réunir l'assemblée élue. En 1991, le « conseil de restauration de la loi et de l'ordre », (rebaptisé en 1997 « conseil d'État pour la loi et le développement ») affirme, sans se croire tenu à plus de précision, qu'il reste en place pour cinq ou dix ans… Dix ans plus tard, la situation est inchangée. A. Suu Kyi, chef du parti vainqueur des élections de 1990 et Prix Nobel de la paix en 1991, est périodiquement assignée à résidence et privée de contacts. En 2001, sous l'égide des Nations unies, un dialogue s'est amorcé entre elle et un représentant de la junte.

En pareil contexte de présence constante ou durable, le pouvoir de l'armée est véritablement institutionnalisé. La dévolution du pouvoir est assurée en son sein selon des règles qu'elle se donne. Alors « les militaires ont bouleversé leurs rapports avec le reste de l'État pour entièrement le subjuguer » (S. Suffern).

Après quatre décennies d'indépendance, le Nigeria n'offre pas, à proprement parler, un modèle de perpétuation d'un régime militaire mais plutôt celui de régimes militaires se succédant, en quasi-permanence. Hors, deux épisodes de régime civil de six et quatre années, au gré d'assassinats, de coups de force, de révolutions de palais, neuf généraux ont exercé la fonction suprême. Pendant trente années de manière chaotique le pouvoir a hésité entre répression et ouverture vers le retour au pouvoir civil. Le meilleur exemple en est l'annulation d'une élection présidentielle en 1993 dont le résultat déplaisait. Toutefois pour terminer le siècle les militaires ont rendu le pouvoir aux civils par une élection présidentielle qui, en 1999, a consacré la victoire… d'un général à la retraite déjà président entre 1976 et 1979 : O. Obasanjo. La stabilité politique, pour autant n'en résulte pas, puisqu'en 2002 le président est sommé de démissionner par une large majorité de membres de la chambre basse appartenant pourtant à son parti…

II – L'établissement d'un régime civil
sous influence militaire

Le régime civil sous contrôle militaire peut apparaître comme la solution idéale aux yeux des officiers, soit pour éviter la prise en charge directe du pouvoir, soit pour conserver une influence lorsque le régime militaire s'avère impossible à maintenir. L'armée impose ses vues sans détenir la responsabilité du gouvernement. Cette solution connaît deux modalités qui peuvent d'ailleurs fort bien se succéder : ou le pouvoir civil est placé sous tutelle exercée de l'extérieur (voire de l'intérieur) de l'organisation de l'État, ou le pouvoir civil est investi par des militaires qui, pour réaliser leur « entrisme », déposent les armes et l'uniforme.

La tutelle du pouvoir civil par les militaires est tentée et réalisée en de très nombreuses situations. Au regard de la présence obsédante de l'armée en Amérique latine, elle est un fait répandu. Le retour à la démocratie en suscite l'occasion comme récemment au Chili, en Argentine, au Brésil... Lorsque A. Pinochet doit renoncer à la direction de l'État chilien, il conserve, selon l'humoriste, sa voiture de fonction... qui, en l'espèce, est aux formes d'un char de combat... La constitution, en effet, accorde à l'armée dans le régime civil rétabli autonomie et influence. Sans doute la « Concertation démocratique », victorieuse en 1989, a-t-elle remporté les scrutins essentiels suivants. Après P. Alwyn en 89, E. Frei en 1994 et R. Lagos en 1999, ont-ils été élus à la présidence mais jamais ils n'ont eu les coudées franches. A. Pinochet demeure commandant en chef de l'armée de terre jusqu'en 1998 avant de devenir, à cette date, sénateur à vie (siège auquel il renonce en 2002). Pendant toute la décennie, les militaires, à l'égard desquels le pouvoir civil ne dispose pas d'un véritable pouvoir hiérarchique, défient les gouvernants (manifestations spectaculaires de soutien à Pinochet, hostilité aux procès intentés aux responsables de crimes sous la dictature, refus d'accepter l'emprisonnement même en des prisons exigées « spéciales »...). Au Sénat, aux côtés des 38 sénateurs élus, siègent 10 nommés dont cinq sont militaires. Ainsi composé le Sénat a pu s'opposer à la révision de la constitution spécialement lorsque celle-ci remettait en cause les privilèges de l'armée. En définitive cette dernière, avec son esprit de corps exacerbé, a contraint le pouvoir civil à la plus grande prudence dans son action sauf à ce que retentissent à nouveau les bruits de bottes...

L'Afrique a elle aussi connu cette tutelle, comme en Haute-Volta en 1970, où la Constitution qui rétablit le pouvoir civil maintient cependant le militaire le plus ancien dans le grade le plus élevé à la présidence de la République ou, comme on l'a vu, en Algérie ou au Nigeria depuis 1999.

En Asie, la Thaïlande, de 1932 à 1993, ne sort du régime militaire que pour tomber dans un régime civil étroitement contrôlé. Résister aux militaires est ici sanctionné par un coup d'État ; les civils doivent accepter une « démocratie guidée ». L'Indonésie depuis 1967 connaît un régime formellement démocratique avec élections dans le cadre d'un pluralisme politique. Mais cela n'est qu'apparence. Les deux partis autorisés, autres que le parti gouvernemental, doivent adhérer à l'idéologie officielle et sont parfaitement domestiqués. Le parti gouvernemental est assuré de gagner largement les élections (75 % des voix en 1997). Le chef de l'État qui, en 1998, se fait réélire pour un mandat de 5 ans est d'origine militaire. Le général M. Suharto, qui exerce cette fonction, est le maître du pays et l'armée l'appuie. Certes les militaires n'ont pas le droit de vote mais 100 d'entre eux sont nommés par le président à la Chambre des représentants composée de 500 membres. De plus, l'armée entretient une organisation présente jusqu'au niveau des villages qui double ainsi l'organisation civile. Jusqu'en 1998, si « démocratie » il y a, elle est militaire... Trois années après le coup d'État militaire, le Pakistan, en 2002, est censé, avec la tenue d'élections législatives, avoir retrouvé un régime démocratique. Mais celui-ci est sous lourde influence militaire. Le général Moucharraf s'est fait légitimer à la tête de l'État, pour cinq ans, par référendum et édicté plusieurs amendements à la constitution garantissant son autorité sur les institutions civiles (notamment pouvoirs de renvoi du Premier ministre et de dissolution de la chambre).

De même que la fonction politique peut apparaître en France comme monopolisée ou presque par des fonctionnaires souvent sortis d'une même école, elle est parfois dans les États du tiers-monde le débouché pour les membres de l'armée. Le régime civil résulte alors de la « civilisation » des militaires qui renoncent à leurs responsabilités profession-nelles et troquent l'uniforme contre le costume ou le vêtement traditionnel. Cela se produit en de très nombreuses circonstances, et offre à l'armée l'avantage du pouvoir, sans que la responsabilité de son exercice puisse lui être imputée. En Thaïlande, les « civils » ayant maille à partir avec les mili-taires sont fréquemment d'anciens militaires. En Asie, également au Bangladesh après onze années d'instabilité, de violences (des dizaines de milliers d'assassinats), de multi-partisme désordonné (83 candidats à l'élection présidentielle de 1981), l'armée s'empare du pouvoir, en 1982 et ne l'aban-donne quatre ans plus tard qu'après avoir, au terme d'une parodie d'élection, placé son chef, qui renonce à l'uniforme, à la présidence.

En Afrique, au Zaïre, deux années après s'être emparé du pouvoir en 1965, le commandant en chef de l'armée, le géné-ral Mobutu se fait élire président en tant que candidat du parti unique créé par le pouvoir militaire. De même, en Amérique latine, au Paraguay, le général Stroessner s'empare du pouvoir en 1954 et en tant que chef d'un parti traditionnel se fait élire président et réélire tous les cinq ans jusqu'en 1988 (on disait alors de lui que « ses siècles étaient comptés ») tout en tolérant une « opposition » dont la représentation parle-mentaire était garantie (le pouvoir, disait-on encore,

« nomme à tous les postes, y compris à ceux de l'opposition »). Un coup d'état militaire, en 1989, est venu mettre fin à ce régime.

III – Le rétablissement du régime civil

Le rétablissement du régime civil peut résulter, on l'a vu, de la volonté même des militaires de rendre le pouvoir, une fois la remise en ordre assurée, en d'aussi brefs délais que possible. Mais cette hypothèse, même lorsque l'intention initiale des militaires est en ce sens, se rencontre assez rarement, tant est forte la tentation de garder le pouvoir.

En définitive, le rétablissement d'un régime civil réellement indépendant est surtout dû à la volonté de la population. Un excellent exemple en est fourni par le Brésil dans les années 80. Alors que le régime militaire en place depuis 1964 a toujours toléré une certaine vie politique avec élections parlementaires et pluralisme contrôlé, une accentuation de la démocratisation est décidée au début des années 80. Mais les mesures prises en ce sens sont, fort habilement, calculées pour être favorables au parti gouvernemental sous la coupe des militaires. Ces précautions sont submergées par l'action du peuple brésilien qui, focalisant son intervention sur l'organisation de « directes » pour l'élection du président de la République en des manifestations gigantesques d'un ou deux millions de personnes dans les principales villes du pays, ébranle le régime. Le parti gouvernemental s'affaisse, l'opposition s'unit, remporte l'élection présidentielle en 1985 et les militaires privés d'appui social s'écartent.

L'opposition populaire peut voir son effet singulièrement renforcé par l'effondrement même du régime militaire. L'Argentine offre de bons exemples. En 1973, le régime militaire, en place depuis sept ans, est victime de l'échec cuisant qu'il connaît sur tous les plans, et l'armée, devant le désastre, se réfugie dans une non-participation politique qu'elle affirme intransigeante. Mais trois ans plus tard, devant les difficultés à gouverner du régime civil après la mort de J. Peron, les militaires reprennent le pouvoir en affirmant que « l'objectif du processus de réorganisation nationale est une démocratie pluraliste ». Le régime militaire ne s'engage pas dans cette voie et cède à la tentation du contre-terrorisme qui fait des milliers ou dizaines de milliers de « disparus » et d'emprisonnés torturés. Devant les difficultés de tous ordres, de ses propres divisions comme des maux économiques, financiers, sociaux et des scandales divers, l'armée s'engage dans l'aventure de l'invasion des Falkland. L'entreprise inconsidérée s'achève par une défaite humiliante. Le pays connaît alors le chaos. L'armée, malgré ses craintes d'un « procès de Nuremberg » argentin, consent, en 1983, à la tenue d'élections et à la restauration de la démocratie.

À l'extrême fin du siècle, et non sans résistance, l'armée, en Indonésie, doit accepter la disparition d'un régime qui n'avait de civil que l'apparence. Deux mois après sa réélection, en 1998, le général M. Suharto doit, devant la gravité des émeutes étudiantes et les exigences de l'opposition, renoncer à exercer son mandat présidentiel. L'assemblée, élue en 1997, doit, à son corps défendant, modifier son statut afin de réduire l'influence des militaires, limiter le nombre de mandats présidentiels, modifier la réglementation électorale dans un contexte de manifestations et de troubles. Des élections législatives, en 1999, ne donnent la majorité à aucun des partis en présence et l'ancien parti gouvernemental garde la faveur de presque le quart de l'électorat. L'élection au Parlement d'un nouveau président marque la rupture avec le régime ancien. Toutefois l'instabilité affecte les premières années du nouveau régime à raison de la résistance de l'armée à la perte de son influence et des jeux politiciens auxquels s'adonnent les gouvernants.

Table des matières

LES RÉGIMES POLITIQUES DES ÉTATS SOCIALISTES

LES RÉGIMES POLITIQUES
DES ÉTATS DU TIERS-MONDE

Achevé d'imprimer en France par Présence Graphique
2, rue de la Pinsonnière - 37260 Monts
N° d'imprimeur : 071242424

Dépôt légal : juillet 2012